探索健康、宇宙和靈魂世界

中文第二版

張捷帆 著

美商EHGBooks微出版公司
www.EHGBooks.com

EHG Books 公司出版
Amazon.com 總經銷
2018 年版權美國登記
未經授權不許翻印全文或部分
及翻譯為其他語言或文字
2018 年 EHGBooks 第二版

Copyright © 2018 by Chit-Fan Cheung
Manufactured in United States
Permission required for reproduction,
or translation in whole or part.
Contact : info@EHGBooks.com

ISBN-13：978-1-62503-466-3

圖書簡介

本書分健康、宇宙和靈魂世界三個部分，為作者多年之心得。

健康篇

作者在中國內地山區的農村長大，在一次偶然的機會中，發覺生食天然食物的野生動物比用精製飼料飼養的動物，在生命力和抗病力方面要強得多，根據這些自然現象，探討了人類現代飲食與健康的問題。

宇宙篇

作者在一次看美國國家地理頻道有關宇宙大爆炸論的一個節目時，覺得宇宙大爆炸論有很多矛盾的地方，並提出了自己的一些看法。

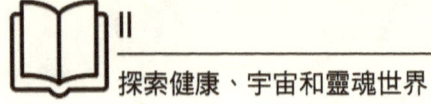
探索健康、宇宙和靈魂世界

靈魂世界篇

　　作者在一次單獨行山時，偶然看到了天空中有一個不明的、彎彎的發光體，並由此對世界事物產生了新的看法，甚至認為在人類可見的物質外，還存在隱形的靈魂世界。

　　本書內容純為作者的觀點，望讀者對健康、宇宙和我們的靈魂世界有新的啟發。

目錄

圖書簡介 I

目錄 III

第一篇　我的健康觀 1

第二篇　我的宇宙觀 31

第三篇　探索看不見的靈魂世界 63

致讀者 87

IV

探索健康、宇宙和靈魂世界

第一篇　我的健康觀

　　隨著社會的進步、生活水準的不斷提高，人們對飲食的要求也越來越高，但是如何烹調和食用食物、食用什麼樣的食物，烹調前和烹調後食物營養的質量到底發生了什麼變化？是否影響我們的健康？如何烹調和食用食物才會變得更健康，這恐怕還是一個問題。

　　幾十年前，我發覺食用天然生食物的野生動物比用精製飼料飼養的動物在生命力和抗病力方面要強許多，而且，從它們的內臟也可以看出，食用天然生食物的野生動物比用精製飼料飼養的動物要健康很多。根據這些自然現象，本人和家人多年來在飲食方面做了一些調

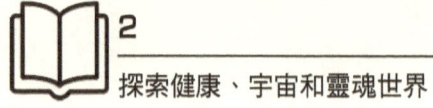
探索健康、宇宙和靈魂世界

整,例如盡可能多吃新鮮蔬果和天然的自然性食物,減少或者盡量避免食用各種經煎、炸、炒、燒烤和加工精製的副食品、飲料等。現在我覺得本人以及家人身體各方面都很好,而且很少生病。因此,在這裡,我想同大家分享現代飲食與健康的一些看法和體會。雖然我的觀點很另類,未必能讓大家接受,但如果看後能得到一些啟發,或者更能正確地去認識現代飲食與健康方面的問題,達到增強體質、減少疾病,是我要寫這篇文章的主要目的。

古代,人類在還沒有發現火的時候,所有動物包括古人類都是生食天然的食物的,即使是現在,除了人類和飼養動物,所有野生動物都仍然是生食天然性食物的。大家都知道,野生動物和古人類一樣在衣、食、住、行各方面都沒有任何保障,它們的生活既沒有醫生和藥物,也沒有像現代人一樣有智慧去認識和選擇營養的食物;它們不僅要面對食物不足、弱肉強食,而且還要在風吹雨打、飢寒交迫的惡劣環境中度過嚴寒的冬天;無論是生活在深海的魚類還是在深山大林中的各種野生動物,種種跡象顯示,野生動物不但抗病力和生命力比用精製飼料飼養的動物強,而且也沒有像現代人一樣有那麼多的癌症、高血壓、糖尿病等多種多樣的現代性疾病。

自古以來,人類為了獲取更多食物,由古人類像野

第一篇　我的健康觀

生動物那樣獵取食物，衍變為現今社會以現代化科技的方法，如施用大量的化學肥料、化學農藥、生長素等以提高農作物的產量；大型現代化的養殖場也大量地使用精製飼料、抗生素、激素等。為了追求產量和達到產品規格要求增加收入，很多人千方百計，內地甚至有人用抗生素泡豆芽，工業污水種植疏菜，牛奶加入人造蛋白、三聚氰胺，蘇丹紅養禽畜，避孕藥餵甲魚，甲醇充白酒，大量的副食品還使用了色素、調味素、防腐劑等，總之，為了追求產量和符合產品規格要求，以達到增加收入的目的，品質已經不重要了，因為品質再好也不是自己吃的。特別是現代人們普遍喜愛經油炸和燒烤等高溫烹調處理後所謂美味又香口的食物，很多食店老闆用食油煎、炸食物後，為了節約成本，重複使用，油炸完又再油炸食物，成為所謂的"萬年油"。然而不僅如此，而且由於哪些"萬年油"炒菜更可口，又可節省油料，很多食店甚至用來作炒菜給食客享用，利益埋沒良心，試想人們長期食用這樣經反覆多次高溫的"萬年油"會對身體帶來什麼呢？

　　我試過，買了塊豬肉回來，豬肉裡有肌瘤；買條飼料魚回來內臟也有很異常；特別是豬的內臟看上去與過去的在顏色上已完全不同了，很不健康；還有那些飼料雞、飼料鴨等，它們的內臟，它們的肉質與天然野生的在健康和營養的質量等方面差距越來越大了，這樣的食物不僅越來越難以提起食慾，而且食物營養的質量對我們健康的影響更為重要。

　　二十多年來，在肉菜市場裡我還留意到，凡是野生的深海魚或野生動物，它們的內臟和肉質都是十分健康的，而且味道也很好；但用精製飼料飼養的禽畜，它們的內臟看上去往往很不健康，肉質和味道等都比自然野生和山區農村自然放養的禽畜要差。從野生的深海魚或野生動物它們的內臟和肉質十分健康來看，說明瞭食用天然食物，不僅對動物，甚至對人類的健康都是十分重要的，人類現代性疾病相信與現代不健康的飲食有關。也許，新鮮天然生食物的營養才是最全面，生物活性最強，對動物甚至對人類的健康更為有利的。然而，這不僅在人類和動物方面，在農作物、甚至中草藥等也是如此。

　　如果你有過務農的經驗，就一定有這樣的體會：施用化學肥料的農作物，雖然容易生長，但往往也很容易生病。然而，施用天然有機肥料的農作物，不僅容易生長，而且生長得很強壯，也不那麼容易生病。

　　可見，用精製飼料飼養的禽畜以及用化學肥料種植的農作物雖然容易長大，但往往也很容易生病，而且生命力也比用天然自然性飼料放養的禽畜和天然有機肥料種植的農作物差。天然有機肥料種植的農作物和自然放

第一篇　我的健康觀

養的禽畜，其營養價值也比用精製飼料飼養的禽畜以及用化學肥料種植的農作物要高。所以，在大自然中自然生長的各種天然植物和生食新鮮天然食物的野生動物，海洋中的魚類以及各種海洋生物，它們的抗病力和生命力都是很強的。

事實上，施用大量的化學肥料、化學農藥、生長素等種植的農作物；現代化養殖場大量地使用精製飼料、抗生素、激素等已經對現代的食物鏈造成了污染，現代人長期食用這樣的食物，不僅對腎臟，而且相信對肝臟等造成了影響。

然而，天然的自然性食物，特別是天然野生的中草藥由於在高山叢林或高原礦物土壤裡吸收到更多天然養份（如礦物質等），其營養價值就更高，例如，市面上野生人參比人工種植的其營養價要高，而且貴很多。中藥所以能夠治病和有保健作用，是因為在天然的生長環境裡組合出對人體健康和治病的天然成份。

所以，西方醫學不認同中藥治病，我認為是沒有道理的。西藥大部份是人工製造的化學藥品，中藥是天然的自然性草藥。前者是化學藥品，後者是天然的自然性草藥，共通點就是都含有治療疾病的元素。西醫的化學藥品雖然容易見效，但副作用也就更大。天然的自然性

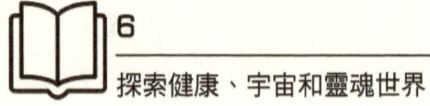
探索健康、宇宙和靈魂世界

草藥由於含有的營份是均衡性的，不是單一性的，因此，副作用比西醫的化學藥品小得多，然而天然的自然性草藥養份不僅有治療疾病的作用，而且對身體還有保健作用。

雖然中草藥有治療疾病的作用，但中醫師能不能確診，能不能對症下藥又是另一回事了。因為即使是同一種疾病，但由於患者得病的病因不同，即使某一服藥對某一患者有治療作用，但對服用同樣的藥的另一患者，因病因不同而未必有效。

舉個例子，很多年前有新聞報導：有一位年輕的患者得了血癌，四處求醫無效。後來，在某國有位龍醫師通過中草藥治好了該位患者。於是，有人炒作那位龍醫師，說哪位龍醫師是什麼神醫。事實恐怕未必如此，那位龍醫師之所以通過中草藥治好了該位患者，很可能是他提供的中草藥含有該年輕患者因缺乏某種養分而得病的元素。當那位年輕患者服用了他提供的中草藥後，養分得到了補充從而治好了疾病。然而，其它同是患了血癌的患者，那位龍醫師就未必能治好了，因為其它同是患了血癌的患者其病因與那位年輕患者未必相同，服用同樣的中草藥就未必有效了。

所以，中醫治病是有很多不確定性的，正因為這樣，

第一篇　我的健康觀

我也不相信中醫會有什麼祖傳秘方。我認為，中醫中藥應該用生物學、營養學、化學的酸鹼性甚至物理學等角度科學地看待，而不是固執地去追求什麼祖傳秘方。只有將中醫中藥科學化，中醫中藥才有可能為人類作出更大的貢獻。如果還固執地迷信一千幾百年前的那套古舊陳說，相信是不會有前途的。

雖然中醫治病有很多不確定性，但平時多喝些普通的中草藥茶卻起到保健和防病的作用。例如，一星期或兩星期煲一次五花茶或七星茶。在市面上有包裝的，中醫師通常要求一次煲一包，我的個人經驗一包可分五、六次煲，而且是一大煲的水，不要太濃，淡淡地以茶代水。目的是希望從中草藥的茶水中為人體攝取一些有益的天然礦物和其它養分，以達到保健和防病的作用。煲的時間不宜太久，燒滾後六、七分鐘即可，因為煲的時間太久，好的養分也是最容易受熱被破壞和揮發的。當然，有時間的還可以翻煲一次。

每一至兩星期，買些優質的海帶回來，加些海鮮煲湯飲用，煲湯的時間也不宜太久，燒滾後一至二分鐘就可以，甚至燒滾後即可，因為煲湯的時間太久，好的養分同樣也是最容易受熱被破壞和揮發的。

我認識的一位朋友，由於過去他常喝酒，而且油炸

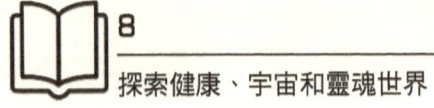
探索健康、宇宙和靈魂世界

的食物吃了太多，所以高血壓、糖尿病、痔瘡等他都有，特別是痔瘡讓他很痛苦，西醫和中醫他都看了，但沒有什麼效果，有次他問我有什麼辦法，我說，可試試買些優質的海帶回來煲水喝，而且煲的時間不宜太長，燒滾後即可，如果認為難喝，待海帶湯水涼凍後，可適當加些蜂蜜或蔗糖水，不要再喝酒和吃哪些經油炸、煎、炒的食物，特別是油炸的，多些在家煮些菜，蒸些魚，自己做飯，盡量減少外出用膳。他照做了，而且用的量很大，每包三十克的海帶一次的用量煲了，第二天他見到我，說效果很好，痔瘡流血和頭痛沒有了，甚至隨即到超市買了十多包海帶回來，我說為什麼一下子就買這麼多？他說生怕沒得賣了，到現在他仍堅持每隔二、三天都喝海帶水，看起來臉色和健康方面比以前要好得多了。

還有一位朋友，感冒發燒後咳了一段很長的時間，吃藥也無效，他問我有甚麼辦法。我說，可試試買些優質的海帶、鯛魚和娃娃菜加入適量的生薑、鹽滾湯。他喝後，第二天他見到我，說效果很好！事實上，這個方法也是我家常喝的保健湯水，一星喝二至三次還有助預防大人甚至兒童感冒發燒的可能。

早前，一位在公園認識的老闆，他在深圳開廠，他說可能是因為長期比較喜歡吃醃制的食物（如臘味、鹹魚等），也可能與他開的家俱廠有關，得了血癌。他說：

第一篇　我的健康觀

經人介紹，曾回內地向一位老中醫求醫，一個多月時間過去了，化了四十多萬，病情不但沒有好轉，而且還惡化了；於是回港到政府醫院治療，化療一段時間後，副作隨之而來，如痣瘡就讓他很難有好的休息和睡眠等，他在微信中問我有甚麼方法可以輔助？我說：你可試試用海帶大約十克、鯽魚一斤、加入生薑和適量食鹽滾湯（燒滾一至二分鐘後即可），一星期飲用二至三次。同時多吃生果，最好每天睡覺前喝一個天然椰青水，此外木瓜、貢梨等生果也應多吃；盡量不要吃經加工精製特別是經醃制的食物。開始他家人認為海帶是寒涼之物，不敢讓他試。後來由於患者實在無法忍受痣瘡帶來的痛苦，家人唯有讓他試一試。第二天，他用微信給我，說好很多了，其它副作用也少了，就這樣他堅持了。一段時間過去了，一次在公園見到他，他說幾天前收到好消息，醫院對他身體檢查的數據基本正常了。如此的成績，雖然他歸功於醫院對他的化療，但他也承認我的建議至少對他的保健或輔助治療是有一定作用的。

事實上，海帶不僅可以抗輻射，而且還有防治甲狀腺腫、降血壓、降脂、抑制腫瘤、提高免疫力、降血糖、利尿、消腫、預防心腦血管病等，甚至還有抗衰老的作用，只是人們在烹調和製作過程中煮的時間太長，由於高溫受熱時間太長，致使海帶對人體健康最好的養分受熱破壞和揮發了，所以效果是不哪麼好的。

探索健康、宇宙和靈魂世界

在中國福建羅源沿海一帶盛產大量優質海帶，而且價廉物美。因此我想，飲料公司或醫藥公司是否可以利用這些優質的海帶資源研發保健飲品、甚至醫藥品用以治療現代性疾病呢？正如從青蒿哪裡研發青蒿素一樣，如果研發海帶，相信海帶對人類健康的貢獻比青蒿更大。然而，目前人們食用的海帶由於在烹調和製作過程中因煮的時間和高溫受熱時間太長，致使好的養分受熱破壞和揮發，正如青蒿受熱一百度後，青蒿素幾乎破壞和揮發，沒有治療疾病效果一樣。因此，在研發海帶方面，為了讓優質的海帶能為人類的健康和治療疾病發揮更好的作用。對此，我有以下的想法：

1、製作海帶保健飲品：將乾海帶（外國朋友可到唐人市場購買）用水清洗去除沙粒和雜質，剪碎放入水煲中，加進適量的水，燒滾後即可，待海帶水涼凍後，可適當加些蜂蜜或蔗糖水，攪拌後，即可飲用。飲料公司也可利用此法開發海帶蜜糖水作為保健飲品，因蜂蜜成本太高，但有防腐保質作用，可在海帶蔗糖水中加入適量蜂蜜（常喝有保健甚至有助療病）。身體強壯的甚至可以將乾海帶用水清洗去除沙粒和雜質，剪粹後放入保溫杯加入開水後再加上保溫杯蓋當海帶茶飲用，效果更好。

2、研發海帶蜜：在養殖海帶地區，將打撈上來的新鮮海帶用水清洗去除沙粒和雜質，再用乙醇浸泡新鮮海

第一篇　我的健康觀

帶（目的在於殺菌消毒），適當時間之後，撈起再次放入涼開水中清洗多次（目的去除乙醇），將用涼開水中清洗後的新鮮海帶撈起剪碎，放入榨汁機用來榨汁，再將新鮮海帶汁加入適量的蜂蜜，因蜂蜜有防腐保質的作用可以保存備用，製成海帶蜜，海帶蜜需用涼開水充服（有待研發，研發設想用於治病和保健）。

　　3、研發海帶素：將乾海帶去除沙粒和雜質、剪碎，用提取青蒿素的方法，如用乙醚作為萃取液，低溫提取海帶素，用提取青蒿素的方法低溫提取的海帶素，相信對很多現代性疾病更能起到更好的治療作用，而且因海帶素是天然植物提取物，對人體的副作用相信比化學藥品要少得多（有待研發，研發設想用於治病）。

　　以上是本人的個人想法，在這裡分享，是希望有識之士從中得到啟發研發海帶保健和醫藥產品，造福人類。在這裡我之所以哪麼特別強調海帶的好處，是因為多年來我和家人都覺得沒有其它食物可以替代它的保健功效和它的食療作用。海帶十克、鯽魚一斤、娃娃菜一斤加入少許生薑和適量食鹽滾湯（燒滾一至二分鐘後即可），一星期飲用二至三次可起到預防疾病和治療病後久咳的家庭保健作用。特別是離沿海遠的如新疆、西藏等地區更應該大力提倡飲用海帶湯水。

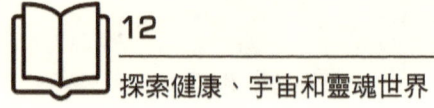
探索健康、宇宙和靈魂世界

　　也許有人認為，得了甲亢的人不應食用海帶，我是不同意的，因 得了甲亢的人不是因吃海帶造成的，而是由於人體機能出現問題造成的錯覺。正如得了糖尿病的人就不應該吃含多糖的食物了嗎？此外五花茶、雞骨草、七星茶也是我們比較喜歡的保健茶，然而海帶還可以配搭肉類滾湯飲用（滾湯時間較短為好）。汽水、酒等非天然性飲料可免則免，因為吸收太多的化學劑、防腐劑、色素等相信對身體也不太好。

　　喝茶方面，為了增強養份的互補性，我們選擇新疆高原經乾曬的羅布泊茶。此外綠茶經加工處理的過程比較其它的少，天然養分也比其它的保存得更好，普洱茶經加工發酵，少飲為妙。

　　蒸餾水是純水，天然的自然水含有多種多樣的礦物和其它養分。常喝蒸餾水不僅沒有為人體帶來各種礦物質和其它有益的養分，相反，還因為常喝蒸餾水而消耗及帶走人體本來就十分缺少的有益養分。如果將人體比作一瓶有營養的水，由於蒸餾水是純水，沒有其它養分，長期飲用的話，人體的那瓶有營養的水就會被稀釋。可見，蒸餾水雖然是一種比較純淨的水，但不是一種有利人體健康的水，甚至還遠不如我們日常食用的自來水。天然的自然水雖然更有利健康，可惜在現代化的大都市中很難喝到了。然而，我們現在的自來水不僅受上游工

第一篇　我的健康觀

業、農業的污染，而且還加入了氯等化學處理。

　　遠足登山時常見到食水庫裡有清澈的自然水，我會毫不猶豫地走上前去喝個脹飽。也許有人會認為這樣不衛生，會受細菌、甚至病毒感染。在這裡，這樣說不是鼓勵大家像我一樣去喝自然水，我只是想通過這個例子說明，細菌、甚至病毒其實都不可怕。因為，無論你用盡千方百計，細菌、病毒都是無處不在的。你的衣服裡有；你錢包裡的錢有；甚至你工作室裡空調噴出的空氣也有。人只有不斷通過接觸細菌、病毒，才會產生更強的免疫力，正如你不下水又怎麼能學會游泳一樣。

　　其實，在山區的農村，人們生喝天然的自然水是很普遍的，許多動物甚至飲用更「不幹淨」的糞水呢！山區的農村人，也許正是他們的飲食比較天然和自然性。儘管他們的經濟條件不如我們好，也不方便購買食物，所以沒有我們食用那麼多種多樣的新鮮生菓，但他們患高血壓、糖尿病、心臟病等現代化疾病都比我們大都市人少。

　　也許有人認為，天然和自然性食物由於沒有經過加工精製，因此，不利人體消化和吸收，甚至造成腸胃病。事實是否真的如此呢？不是的，相反那些喜歡食用經加工精製食物，少吃天然和自然性食物的人，往往是最容得腸胃病的人。天然的自然性食物如番薯、芋頭等雜糧，由於沒有經加工或精製，因此，不僅能為人體提供多種多樣的微量元素，而且還為人體提供現代飲食本來已十分缺少的纖維素，有助解決便秘和預防腸胃病、腸胃癌的發生。所以，有人認為如果得了腸胃病，就應該吃些經加工或精製容易消化和吸收的食物，是不對的。

　　舉個例子，牛是吃草的動物。即使是纖維極高、極難消化的野草，牛的腸胃一樣能將其分解消化和吸收。假如做一個這樣的實驗，牛出生後不讓其食野草，改讓其食用較容易消化和吸收，經加工或精製的奶粉、米粉或速食麵之類的食物。當牛長大後，這頭牛還會像其它野牛一樣，即使是纖維極高、極難消化的野草，也能將其分解消化和吸收嗎？顯然是不行了，這也說明動物和人體功能一樣是隨著環境的改變而改變，而且這些功能是在逆境中不斷磨煉出來的。正如運動員不去訓練就很難取得好成績一樣。得了腸胃病，就應該吃些經加工或精製容易消化和吸收的食物，這是不進取、消極的做法。俗話說，貪心不足蛇吞象，蛇能吞食動物並能將其分解消化和吸收，是磨煉出來的，不是用消極的做法逃避出來的。

　　天然的自然性食物如番薯、芋頭、馬鈴薯等雜糧，由於沒有經加工或精製，因此不僅能為人體提供多種多

第一篇　我的健康觀

樣的微量元素，而且還為人體提供現代飲食本來已十分缺少的纖維素，從而有助解決便秘和預防腸胃病、腸胃癌的發生。天然的自然性食物如番薯、芋頭等雜糧不僅含有豐富的微量元素和纖維素，而且由於不需要加入調味料、食鹽等，因此，也有助緩解現代人們的高鹽飲食，更有利健康。

　　肉類方面，多吃些海魚。無論大或小，貴與平，只要是海魚就行。因為海魚在大海中成長，因此它們吃到的都是天然的自然性食物。所以，海魚的營養也較為豐富，而且肉質也比較鮮美。此外羊肉、牛肉由於都食草動物，比較少用精製飼料、生長素等飼養。因此，羊肉、牛肉比飼料豬、飼料雞、飼料鴨營養更好。試問：用精製飼料、生長素等只需花三幾個月的時間就生產出來的飼料豬、飼料雞、飼料鴨、飼料魚等還會是理想的食物嗎？

　　也許還有人認為，得了糖尿病，就應該少吃甜的食物，包括甜的新鮮生果。據我所知，在現實社會中，確實有些人得了糖尿病，真的不敢吃甜的食物了，無論是新鮮生菓還是營養豐富的天然蜂蜜都予拒絕。當然，如果得了糖尿病，那些用砂糖加工或精製的副食品如糕點、汽水、餅乾等應盡可能避免食用。但甜的天然自然性食物如：新鮮生菓、天然蜂蜜等不僅不會對糖尿病帶來什麼不利影響，而且相信還有一定的保健甚至是治療的作用。糖尿病是人體機能出現問題造成糖尿的，不是吃含糖份的食物太多造成的錯覺，因大米、麵粉等碳水化合物都含大量糖份，然而無可避免人體代謝需要大量糖份維持生命。

例如，早前有一位六、七十歲的同事患有高血壓和糖尿病。雖然他有吃醫生開的高血壓和糖尿病的藥，但有一天也許是因工作勞累，他感到有點頭暈和胸悶，問我該吃什麼好。我說：下午茶時，不要再吃那些速食麵和麵包之類的食物了，買兩個大大的火龍果吃吧。他照做了，之後，他找到我並說，還真有點作用，不再頭暈和胸悶了。我說：晚上回去應該多吃新鮮蔬菜和多吃新鮮生果，特別是新疆的哈蜜瓜、貢梨、新疆香梨和寧廈出產的壓砂大西瓜、椰青水、木瓜等。此外多煲一些海帶湯水、五花茶、七星茶等湯水、涼茶飲用相信對高血壓和糖尿病有一定的正面作用。

所以說，如果得了高血壓和糖尿病，就應該多吃天然的自然性食物，哪怕是甜的天然自然性食物，例如：新鮮生菓、天然蜂蜜等，因為這些食物不僅不會對高血壓和糖尿病帶來什麼不利影響，而且相信還有一定的正面治療作用。此外，還應該盡可能避免外出吃飯，多吃天然的自然性食物，特別是新鮮的天然自然性食物，減

第一篇　我的健康觀

少或者避免食用哪些經油煎、炸、炒、燒烤和加工精製的副食品、飲料等，這不僅對高血壓、糖尿病、心臟病等現代性疾病有一定的正面治療作用，而且對於身體健康的人來說，相信也有預防疾病的保健作用。

正因為如此，我和家人這麼多年來，對我們的身體都感到很滿意，雖然我們也有過感冒、發燒等，但我們是極少看醫生的。因為我們認為西藥、抗生素不宜用得太多，否則抗藥性、副作用總有一天會降臨我們的身上。為此，我們到內地深圳的藥店買一些中成藥以備不時之需。內地廣州出產的《複方穿心蓮片》、《維Ｃ銀翹片》是我們遇到感冒、發燒的最好良藥。只要有少少覺得不舒服，我們就毫不猶豫地服用，通常一次用藥很快就見效了。《複方穿心蓮片》一次是五至六片；《維Ｃ銀翹片》是二至三片（維Ｃ銀翹片是半中成藥）。每年買《維Ｃ銀翹片》約二瓶，每瓶十二片；《複方穿心蓮片》一瓶，一瓶是一百片。《複方穿心蓮片》約二元五毫人民幣一瓶；《維Ｃ銀翹片》約一元五毫人民幣一瓶；不足十元港幣，這就是我們一家人每年的醫藥開支了（上述價錢是數年前的，現在需要約二十多元）。然而，即使是不足十元港幣的中成藥，我們通常也只用了很少的一部份的。

大家知道，我們現代人的食物不但多種多樣，而且豐富多彩，各種經加工精製的罐頭、速食麵、糖果、餅乾、薯片、汽水等，煎、炸、炒、燒烤特別是酒樓食肆的食物不但色香味美，而且多種多樣，數不勝數。本來追求食物品種的多樣化，追求食物的色香美味，是無可厚非的，但為了追求食物品種的多樣化，追求食物的色、香美味從而忽視了食物營養的品質與人體健康的問題，甚至造成多種多樣的現代性疾病。如果不識字的人叫文盲，那麼，為了追求食物的色、香、美味和多樣化，造成多種多樣現代性疾病是不是可以叫食盲呢？

在中國一個十二億人口的國家中，據報導約有二億多人患有高血壓、糖尿、心髒病這樣的現代性疾病，在香港患這樣疾病的亦趨年輕化，有的甚至年僅幾歲，未病發而有潛伏各種現代性疾病的恐怕不計其數。

例如，在近視方面，香港約有六至七成人患有近視這樣的疾病，有的孩子年僅幾歲就要戴近視眼鏡了。記得我還在內地山區的農村生活時，沒有多少個孩子患近視這樣的疾病的，為什麼呢？我認為是香港人與內地山區農村人的飲食結構有關，香港人普遍喜歡食罐頭、麵包、速食麵、薯片、香腸、汽水等經加工精製和燒烤的食物；山區農村人多是比較天然的自然性食物。

現在，香港大部份小童都有偏食的習慣，罐頭、精製麵包、速食麵、薯片、香腸、糕點、汽水等經加工精

第一篇　我的健康觀

製是他們最喜歡的食物。然而，為了「多快好省」做母親的往往也樂意滿足孩子的要求，雖然相信每位母親都希望自己的孩子健康成長，但試問這樣的食物能為孩子帶來什麼呢？恐怕是成長有餘、健康不足。你的孩子是否健康，做父母的責任是最大的。你的孩子身體不好，首先做父母的要檢討自己，是否為孩子提供了不健康的飲食。

我妻子的微信群裡，常看到中國內地某些父母埋怨他們的小孩每年醫療費用太高，有的甚至說超過十萬人民幣。如果真是如此，試想年復一年，孩子吃下多少藥了？即使病治好了，但大量的藥物對身體沒有影響嗎？即使做父母的有錢不怕看病貴，但也不能讓孩子亂吃，預防勝於治療，做父母的應該明白有責任引導孩子養成良好健康的飲食習慣，並為孩子提供健康的飲食。

大家知道，食物經燒煮或烹調後許多天然養份會遭受破壞和流失，特別是對人體健康最重要的天然養份，因那些養份的生物活性太強因而特別容易揮發和更容易受到熱的破壞，新鮮生食物如水果中含有大量的活性酶、酵素、維生素等，是促進各種代謝的重要物質，但經燒煮或烹調後就消失了。大量的副食品在加工精製過程中不僅使大部份重要的養份去掉，而且還加入色素、調味素、防腐劑等，炒、煎、炸、燒烤、不適當的烹調

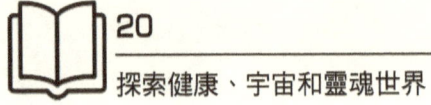

和使用「萬年油」等還有可能使某些養份產生變異,變異的養份被人體吸收後,在代謝中甚至組合成變異的細胞,造成惡性疾病,所以食物營養品質的好壞是在於烹調後,而不是在於烹調前,烹調前的食物營養品質即使再好,如果經過油炸再油炸,高溫再高溫的烹調,很可能已使某些養份產生變異,變異的養份被人體吸收後,在代謝中甚至組合成變異的細胞,造成多種多樣的現代性疾病,甚至惡性疾病。

我們還知道,食物營養是人體生理代謝和維持生命的重要物質,養份之間微細不同點的變化和相互作用從而影響人體健康的問題,是十分複雜的。例如,一顆種子可以生長發芽,孕育生命,但如果種子經燒煮滾後,就不能生長發育,沒有生命了。

又如,用蒸餾水和冷開水養魚,魚很快就會死亡,用自然的天然水養魚就沒有問題了。為什麼呢?大家都知道,這是因為種子和水通過了劇熱的物理作用。所以,物理作用同樣可以對食物營養產生質的變化,從而影響人體代謝和健康。此外,食物養分正負離子的變化從而對人體健康的響影也是不能忽視的。

又如,有人平時少吃生菓,因此,認為吃些維生素C 藥片補夠就行了。但事實恐怕未必如你想像中的一

第一篇　我的健康觀

樣。有專家指出：天然的與人工合成的它們在化學上可能相似，但在生物學上則與之十分不同。天然的自然性食物營養素對人體只有好處，人工合成的不僅對肝臟功能有影響，而且在營養的生物活性上也無法與之相比。所以，即使人工合成的與天然自然性的食物營養素對人體功能一樣，兩者也無法相等衡量。天然自然性的食物營養素由於是從食物中直接攝取的，因此有多種多樣的養分，而且是均衡的、天然性的。相反，人工合成的是單一性的、化學性的。

　　另外，還有人認為素食才是最健康的。我認為未必，本人也曾到過一些菜館品嚐過素食，其實大部份素菜都不是新鮮的自然性食物，大部份還是以煎、炸、炒等不太健康的方法烹調食物，甚至有相當部份是用黃豆經加工製造的豆腐製品。豆腐是健康的食品嗎？我認為不是，因為豆腐不是天然的自然性食物，豆腐是用黃豆經加工製造出來的副食品。大家知道，黃豆在經加工製造的過程中，許多天然養分會遭受破壞和流失，特別是對人體健康最重要的天然養分，因為那些養分的生物活性太強因而特別容易揮發和更容易受到熱的破壞。然而，不僅如此，在製造過程中還加入了硬化劑，甚至防腐劑。試問，這樣的食品會是健康的食物嗎？

　　可見，影響人體代謝和健康的因素不單是食物某種養分含量的多或少，營養的品質、營養天然的生物活性、營養酸城的化學性、營養正負離子的物理性等也是不容忽視的。因此在看待食物營養方面，不但要重視食物某種養份含量的多或少及對人體的影響，還有食物經加工精製、經燒煮、煎、炸、炒、燒烤等多種多樣的烹調後，食物營養的品質、食物營養的天然生物活性、營養酸城的化學性、營養正負離子的物理性等究竟發生了什麼變化？對人體健康產生了什麼影響？所有這些，充分說明影響人體代謝和健康的因素是很多的，而且相信十分複雜，甚至超出現代人的想像。總而言之，現代人工化學合成的營養製劑與天然食物營養素在生物學上和在影響人體健康方面相信是十分不同的，而且我們有必要從新認識。

現在，我的兩個兒子已經長大了。十多年來，雖然他們都很順從我們的飲食，但有時也會滿足他們的要求，如速食麵、麵包、汽水等，也會到酒樓食肆品嚐糕點。不過，盡量避免外出吃飯，不僅是因為錢，也因為即使再好的廚師，他們也只是為滿足食客對食物色、香、美、味的要求，他們未必懂得什麼樣的食物才能讓食客健康或者為食客的健康設想。然而，色、香、美味的食物通常對身體也不太好的，現實生活中調味素的濫用，特別是油炸食物和炸完又炸，高溫再高溫的"萬年油"不是被棄用，食店為了節約成本甚至用作炒菜或油菜之用（雖然用水煮的菜會較健康，但事實這些菜很可能使

用了"萬年油"作油菜之用），長期吃下這樣的食物等如自食惡果。

早前，我的妻子與很久沒有見面的同學到酒樓食肆聚會，閒談間談到化妝品的問題，有同學問我妻子用什麼牌子的化妝品，我的妻子說從來沒用過化妝品，她們不信。到聚會完畢，大家到衛生間時，我的妻子用水洗了一下臉，她們奇怪了，於是用手觸摸我妻子的臉，果然沒有粉脂，於是讚她天生麗質，都五十歲了，沒化妝臉色還這麼好。事實上，我的妻子任職私家看護，每天工作十二小時，而且返工路途較遠，來回約需三小時，而且幾乎每天返工，如果沒有好的身體，相信不能勝任這樣辛勞的工作。

所以只要身體健康，血氣和臉色自然會好，否則雖然你還沒有病出來，但也因為長期不良的飲食習慣造成身體機能差了，長期不良的飲食習慣不僅吸收了有害物質，致使人體血液素質變差，而且有害物質還隨著血液流向臉部，血氣和臉色自然會差，甚至這些有害物質還會造成色素沉著，造成臉色難看。然而，臉部色素沉著，臉色難看沒有什麼靈丹妙藥能解決，化妝品成為現代女性掩飾因身體機能差造成的這些污點了。所以只有靠平時堅持健康的飲食習慣，避免食用哪些含有害物質的食物，特別是油炸食物，從自己的一點一滴做起，才能身

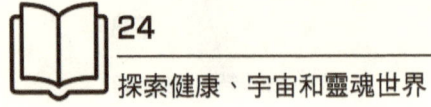
探索健康、宇宙和靈魂世界

體健康，煥發天然的自然美。

多食新鮮蔬果，如果吃生果比吃飯還多，身體肯定會健康很多；多食比較天然的自然性食物，減少或者盡量避免食用經加工精製的副食品，一些含有豐富天然礦物養份的山草藥茶、異地高原的生菓（如新疆貢梨、密瓜、寧廈西瓜、椰青水和外國生果等）是我們比較喜歡的食物，地球上因每一個地方的磁場強弱不同，所以種植和生產出來的食物磁性也有所不同。生活在高原和生活在海拔低地區的人民，應該有選擇地相互多食對方異地的自然性食物，這不僅可以增加營養的互補性，而且營養的正負離子的物理性、化學性、生物活性等相信都為人體健康帶來意想不到的好處，俗話說：人離鄉賤，物離鄉貴，就是這個道理。所以多食異地食物和多食異地生菓等相信有益健康。

此外，如果食材新鮮，用蒸和煮這些健康的烹調方法，買些優質的海帶回來，每一至兩星期加些海鮮或鯽魚、生薑，煲些湯水飲用，對於我們來說這比什麼山珍海味都重要得多。越精越好、越貴越上等的觀念，我不認同的。我認為，只要身體健康，不一定要美味可口的食物才覺得好味，相反，如果沒有健康的身體，就算山珍海味也無食慾可言。享受美食、享受人生，本來無可厚非，但不能同大吃大喝畫上等號，今天沒病不代表明

第一篇　我的健康觀

天、將來一定健康。人體其實就像一個裝滿清水的瓶子，如果我們每天都吃進一些不健康的食物，然而，不健康的食物都不會即時對健康構成威脅，不知不覺下身體就像盛滿清水的瓶子每天滴入一點墨水一樣，終有一天瓶子裡的水變黑，到時再去指望醫生和藥物從瓶子的黑水中取出墨汁就很難了。

所以，健康應該從小、從自己的一點一滴做起，多食新鮮蔬果，多吃些天然的自然性食物，做到均衡飲食，不要為了追求美味享受而盲目亂吃，更不應把健康寄託在醫生和藥物方面，早前，香港某報刊頭條一位四十四歲名醫睡夢中死亡，說明如果醫生不注重自己的飲食和身體煅煉，也會影響健康，甚至英年早逝。

我的兩個孩子從小一到大學畢業，大兒子畢業後，在溫哥華工作生活一年後回到香港，現在政府部門工作，小兒子還在外國讀博士。他們小時候雖然也有因發燒請過一、兩天的病假，但總的來說，我們還是很滿意他們的身體，因為他們既沒有像許多孩子那樣有近視，也沒有像許多孩子那樣容易生病。我和家人的身體二十多年來極少生病，這與我們平時的健康飲食分不開的。雖然我們掌握了一些健康的飲食方法，但由於每個人的體質對每種食物也會產生不同的效果，這裡不宜盡述了。孩子們長大了，他們有自己的生活圈子，生活環境，他們的飲食和生活習性與同事們也不可能有甚麼大的分別。然而，即使我和妻子也是做不到心中所想的健康飲食的，但我們有這個理念，盡量去做，問心無愧就行了。

大家想想，年復一年大量使用化學肥料、農藥、生長素等造成的農田污染；大量使用精製飼料、激素、抗生素等飼養禽畜造成抗藥性越來越強的病毒。在這個惡性循環的生態環境中，從農作物、飼料、禽畜、到加工食品，如果不認真看待生態環境對現代飲食與健康的影響，盲目追求產量，甚至做出利益埋沒良心的事，那不僅我們的健康，也有理由相信將為下一代的健康帶來隱患。因此，提高人們對食物營養的認識，提高國民素質，教育國民正確看待食物營養對人體健康的重要性，減少使用化學藥品、生長素、抗生素等，提倡有機耕作，自然養殖，文明生產，品質第一，營商有道，我們食物的品質就有可能提高，下一代的健康就有可能得到保障。

前一段時期，香港爆發流感，死了三百多人，內地有人說，比非典疫情更嚴重，要知道西醫對付流感通常也只有使用抗生素，但抗生素並非萬能，只可對付細菌，對流感病毒感染是無效的，亦無助加快痊癒。相反抗生素用得多了會出現耐藥性細菌，令病毒、真菌或寄生蟲等微生物出現變異，原本有效的抗菌素變為無效，導致體內的感染持續，增加傳染他人的風險。這些耐藥性細

第一篇　我的健康觀

菌還被稱為「超級細菌」。 抗菌素耐藥性是隨著基因變化而逐漸出現的自然現象，一旦微生物適應並在有抗菌素的環境下生長，就會出現耐藥性。流感爆發了，很多人跑去醫院，然而醫院裡的病人太多，空氣中病菌更多，環境也比在家更差。

那麼得了流感怎麼辦呢？我本人是不會去醫院的，這不是諱疾忌醫，這是因為醫院也沒有更好的方法醫治，相反在醫院由於病人太多，由於空氣中的病菌太多反會增加人傳人的機會，甚至加重病情。得了流感我會第一時間服用內地某藥業製造的覆方穿心蓮藥片，瓶上要求服用 4 片，按病情我會適當加大藥量至每次五至六片。不竟穿心蓮藥片是中成藥，而且很少服用，適當加大藥量相信對身體的影響不會太大。根據本人的多年的經驗，也因為只有穿心蓮藥片這樣的中成藥才對流感病菌有抑制甚至治療作用。此外還可以用鯽魚兩條和適量的海帶加上娃娃菜、生薑滾湯飲用，效果更好。（此法還可以治療病後久咳，但前提是在使用此法時，不要服用任何中藥和西藥，甚至潤喉糖、茶水、精製食物等的情況下，效果才顯著）。

早年，西非爆發伊波拉病毒，因抗生素對此病毒沒有治療作用，據說西醫還沒有更好的方法醫治此病。我認為一些中成藥相信對伊波拉病毒可能有抑制作用，特別是中成藥復方穿心蓮藥片，因此我想，既然眼看病人一個一個的病死，哪麼可否試用復方穿心蓮中成藥片醫治呢？我相信，只要加大復方穿心蓮藥片的藥量，配合大量飲用海帶鯽魚湯水，說不定會有意想不到的效果，因為我和家人是用此法醫治流感的，而且效果很好。

科學在不斷進步，人們對事物的認識在不斷加深。近百年，科學技術的發展十分迅速，人們的生活也越來越現代化。追求美好的生活，享受人生是人的天性，但是隨著生活越來越現代化，人類本來具有古人類、野生動物那樣強的生命力以及各種天然功能也隨著生活的現代化而減退了。現代化的生活把人類與大自然的距離越來越遠，睡眠要吃安眠藥，生小孩也要剖腹產子，近視、高血壓、心臟病、糖尿病等多種多樣的現代性疾病，也隨著生活的現代化而變得越來越多和漸趨年輕化了。

現在，我們不妨再看看，無論在海洋的深海中，還是在原始的深山大野林裡，在那沒有污染的自然環境下，既生活著生命力很強的魚類生物、也生活著抗病力很強的野生動物，叢林裡甚至生長著數千年的天然林木。因此我想，如果我們的食物不是以經加工精製為主；如果我們的食物多些用煮、滾、炆、煲，少些以煎、炸、炒、燒烤等為主要烹調，注重我們烹調後的食物質量、而不是烹調前；如果我們的食物少些污染、少些添加劑，

第一篇　我的健康觀

特別是少用調味素，甚至不用調味素；如果我們的食物多些天然自然性，而且不吸煙，少喝酒；如果我們多些接觸大自然，多做吸收負氧離子的抗氧化運動（如行公園、行山、游泳等）；減少在密閉空調的氧化環境下工作、生活，少看有輻射的電腦、電視、手機，多看大自然物的綠色植物；也許住得豪華未必住得健康，豪華、漂亮用化學物料建成的現代建築，未必是人類最好的居住環境，遠離煩擾污染的大都市，也許用大自然物料搭建的草棚、木屋更適合人類居住，只是錯誤的價值觀讓我們追求了錯誤的東西。此外人的思維是大腦通過生物電運作的，工作了一定的時間，生物電少了，人就會覺得累，所以只有充足的睡眠人的大腦充電的量才會更足，這對健康也是很重要的，多到戶外游泳、遠足登山、睡覺前洗個涼水浴（最好全身包括頭部），也是更能入睡的好方法。知足常樂，不過度蹤欲，良好的情緒，開開心心地生活等等也是健康的源漿。

　　總之如果我們在衣、食、住、行等方面多些天然的自然性；少些化學和人為製造；也許現代人的身體會變得更健康了。有人說：如果用 1000 比喻健康、金錢、權力和名譽，哪麼數字 1 就代表健康，因為如果沒有前面的哪個 1 的數字，也就是健康，後面即使有多少個零又有什麼意義呢？所以只有珍惜身體，才能擁有後面的一切，讓我們從自己的一點一滴做起吧！

探索健康、宇宙和靈魂世界

第二篇　我的宇宙觀

　　宇宙學說的「宇宙大爆炸論」認為：宇宙起源於150-180億年以前的一次大爆炸。起初，宇宙中的所有物質壓縮成一個極小高溫高密度的"奇點"，之後發生了大爆炸。大爆炸發生後，宇宙無限膨脹，溫度高達150億度，宇宙中只有中子、電子、光子和中微子等基本粒子。當溫度下降到100億度時，才形成化學元素，以後隨著溫度的降低，形成氣體，氣體又凝聚成星雲，後又凝縮為星體，發展為今天的宇宙。上世紀初，科學家觀測到星系光譜的普遍紅移現象證明宇宙還在膨脹，1965年發現宇宙微波背景輻射現象，此外天體品質中存在大

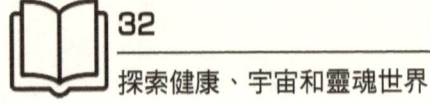
探索健康、宇宙和靈魂世界

量氦,以及天文學家觀測到的所有星體年齡都未超出100億年這事實都支持了「大爆炸理論」。

　　宇宙真的是由一個極小的奇點爆炸而成的嗎?對此,我是絕不會相信的。也許,宇宙真的有過大爆炸,但如果說宇宙是由一個極小的奇點爆炸而成,那麼,就真是比天還大的笑話了。為什麼呢?因為任何事物有因才有果,不能你說什麼就會有什麼,假設、推論也必須建基於合理的科學根據上,也許你會有哪麼一點理由來支援你的理論,但相信也可以有千萬個理由來否定你的所謂理論。

　　你說:宇宙是由一個極小高溫、高密度的奇點爆炸而成,那麼,這個奇點那裡來的呢?為什麼會有這樣的一個奇點呢?你的根據是什麼呢?爆炸的中心點在那裡呢?即使是核彈爆炸,也不能因為你說句核彈爆炸就會有個核彈爆炸的,就算有個核彈,也要引爆,而且能量也是有個極限的,沒可能像你說的那個「奇點」那樣能量可以無限放大。你說:宇宙中所有物質壓縮到極小,那麼,是誰或者是什麼原因把數以百億光年這樣大的宇宙壓縮到極小呢?

　　事實上,科學家到現在也無法解釋為什麼有這個「奇點」,也無法解釋這個「奇點」從那裡來。因此,我認為,

第二篇　我的宇宙觀

在沒有對這個「奇點」得到合理的解釋之前，輕言地去假設宇宙是由一個極小的「奇點」爆炸而成，這樣的假設，實在無法讓人相信。而且，高溫、高密度與物質一般的熱脹冷縮的物理特性也存在矛盾，因為物體越熱，密度就會越小，何來高溫高密度呢？正如核彈一樣，你有看過核彈在溫度極高的情況下不爆炸的嗎？你有見過核彈爆炸時，會高溫高密度的嗎？

大爆炸論以所有物體在不斷膨脹遠離支援宇宙大爆炸論，事實是否如此呢？如果宇宙所有物體都在膨脹、遠離我們，就不應該有星球的存在。因為，他們說星球是分子雲集結而成的。既然說物體在膨脹、遠離又何來集結呢？如果所有物體都在膨脹、遠離我們，就不應該有星系的存在，因為星系也是因為有星球的集結，才有星系的存在；如果所有物體都在膨脹、遠離我們，就不應該有星系碰撞，因為既然物體膨脹、遠離又何來星系碰撞呢？你不能一方面說物體在不斷膨脹遠離，另一方面專家們又說某些星系如何如何碰撞，甚至說多少年後銀河係也有機會與仙女座星係發生碰撞。所有這些，難道不自相矛盾嗎？

至於紅移現象，人類觀察紅移現象也只是幾十年的時間，對於宇宙時間來說可以說是微不足道的。如果用那極其有限和短漸的現象去認定無限的宇宙如何、如何，就難免出現錯覺或容易進入誤區了。況且，存在於我們空間的電磁場、電磁力強弱的變化也會影響觀察物體的大小從而對紅移現象作出錯誤判斷。

例如，最近我看美國國家地理頻道，他們用日蝕和平時拍到天空中星球影像的大小變化解釋「相對論」時空彎曲的原理。我認為是不對的，因為日蝕時月球的阻擋一定影響當地的電磁場。因此，也必然影響觀察和拍攝影像的大小，這是電磁場變化的影響，不是什麼時空彎曲。因為電光效應，有的物質會受到一個外加電場影響光的折射率，對光產生間接的影響，從而影響觀察和拍攝影像的大小。況且日蝕只是在地球的某個地區，其它沒有日蝕的地區影像沒有變化又如何解釋呢？另外美國國家地理頻道還用個鋼球放在網中來解釋「相對論」時空彎曲的原理，我認為也是不對的，因為這個實驗在地球大氣層這個環境下，如果在太空中沒有所謂"重力"的環境下做這個實驗，這個鋼球就不會有所謂的"重力"的作用，這個網就不會產生扭曲了。

宇宙輻射現象只能說宇宙有過爆炸，不能以此說明宇宙是由大爆炸而成的。原子彈不是因為有「相對論」的質能關係式才製造出來的，雖然人為因素可以製造核聚變產生大爆炸，但宇宙沒有人為因素又如何製造核聚變產生大爆炸呢？

第二篇 我的宇宙觀

　　然而，塑造什麼紅巨星、黑矮星、白矮星、中子星、黑洞、超新星爆炸之說，甚至還有一大堆美麗、動聽、精密的天文數字，說什麼恆星燃燒完畢後，因為質量比太陽大多少倍的就有重力壓縮。之後又因為核聚變，爆發脹力產生大爆炸，就像玩弄魔術那樣，彷彿宇宙中的星系、星球什麼平衡點也沒有，而是由他們創造和控制似的。他們說星球因重力壓縮，星球就壓縮了；他們說星球因脹力膨脹，星球就爆炸了，甚至說：數以百億光年這樣大的宇宙也是由一個極小的奇點爆炸而成。

　　雖然哈勃望遠鏡拍到了星係與星系撞擊產生星球大爆炸的客觀事實，但為什麼天文學界某些人無視只有星球撞擊才會產生核聚變引發大爆炸的客觀事實，卻去強調毫無事實根據的壓縮爆炸之說呢？難道自然界什麼「平衡點」也沒有嗎？恆星既然能夠在宇宙中存在，就一定有它們存在的平衡點。正如我們的地球能夠在太陽系存在一樣，不可能像某些人說的因為沒有了平衡點，因而有重力壓縮，一時又因平衡點失衡而出現脹力，產生爆炸。如果物體真的可以無緣無故的壓縮產生能量爆炸，歐洲粒子對撞實驗就不用化巨資來做個粒子加速器，以接近光的速度作粒子對撞實驗了。

　　大家知道，任何物體即使最小的粒子始終也有它最小的體積，無論物體怎樣壓縮，物體之間也只能是零距離，密度始終是有它的極限。因此，即使宇宙中最小的粒子在宇宙中所有的數量，再乘以它們的體積，也是無可能壓縮到極小的。

再說物體壓縮也不是你說句壓縮的話，物體就能壓縮的。例如，就算現代人類用盡所有資源和所有的科學技術也無可能將喜瑪拉雅山壓縮到極小。地球、太陽、宇宙就更不用說了。歐洲化了數百億元要做個粒子對撞實驗，到現在也沒搞出個什麼出來。所以說，世界上任事物都是有它的限度和極限的。

可見，要將數以百億光年這樣大的宇宙壓縮到極小，而且高溫、高密度是沒有科學根據的。然而，科學界到現在還沒有在宇宙中發現有「奇點」這樣的自然現象。即使有，它的能量也是有限度和極限的，沒可能像「宇宙大爆炸論」說的那樣無限膨脹，能量無限放大。

現在人類觀察到最遠的星系已達一百三十多億光年，更遙遠的只是未觀察到而異。假如我們在宇宙的中心點（當然肯不是，只是個假設），我們看到的一個方向最遠的星系是一百三十多億光年，另一相反方向最遠的星系又一百三十多億光年，哪麼這個宇宙的直徑就達二百六十多億光年。然而，宇宙學說認為宇宙的形成只有約一百五十億年，這麼說物質運動的速度接近光速了，

第二篇　我的宇宙觀

這怎麼可能呢？

那麼，我們的宇宙是如何形成的呢？我認為，宇宙只是相對的，沒有絕對的宇宙。人體肚皮內生活著億億萬萬的細菌，在那些細菌看來，肚皮內就是它們認知的宇宙了。同樣道理，我們人類看到和認識的空間，只是人類的宇宙。

舉個例子，例如：太平洋七千米深處的某個熱泉附近生活著一些微生物，這些微生物只有在熱泉附近生活，離開了就要死亡。因此，在它們看來，它們認識的和視線範圍觸及的熱泉附近的空間就是它們的宇宙了，它們一定不會知道太平洋有多大，不會知道太平洋外還有大西洋、北冰洋、印度洋、南極洲，還有陸地、太陽、太陽系、銀河係等。所以說，微生物的宇宙是它們視線範圍內和它們認識的空間。同樣，假如我們人類是那些微生物，那麼，我們可以設身處地想想，我們的宇宙就會小很多了。

所以，幾百年前，在沒有望遠鏡和哈勃望遠鏡時，人類看到和認識的宇宙比現在的小得多。因此，人類現在看到和認識的宇宙一定不是宇宙的全部，也許我們人類現在的宇宙只是一個由數千億個星系組成的超級大星系，這個超級大星係就是人類的宇宙了。

如果這個假設成立，那麼，就有理由相信，我們的超級大星系之外一定還有更多的超級大星系，甚至還有由數千億個超級大星系組成的大宇宙。然而，大宇宙之外又有由數千億個大宇宙組成的超級大宇宙…，如此類推，永無止境。

我們知道，宇宙中的星係不僅不是靜止的，而且在空間不斷運行，甚至因為星系的慣性運動、磁力等有機會同其它星係發生碰撞，產生強大的爆炸。從美國哈勃望遠鏡拍到的星系照片可以看到，星系之間因運行發生碰撞產生大爆炸是時有發生的。甚至有科學家預測，二十億年後，我們人類居住的銀河系也有機會與仙女座星係發生碰撞，產生大爆炸。

既然星系之間發生碰撞產生爆炸是時有發生的事，那麼就有理由相信，如果我們宇宙真的有過大爆炸，很可能是大宇宙內的兩個或多個宇宙因慣性運動、磁力等作用力引發猛烈碰撞產生大爆炸的。而且，也只有宇宙與宇宙這樣巨大的撞擊，才會產生宇宙這樣大的大爆炸。當然，爆炸不會是瞬間的事，也許需要漫長的歲月才能完成。這也和科學界觀察到所有物體都在膨脹、遠離我們是相吻合的，因為星系之間發生碰撞爆炸後所有物體都會因慣性反方向運行而遠離。然而，科學界觀察到所有物體都在膨脹、遠離都是數以億年計以前的景

第二篇　我的宇宙觀

像，現在看到的不是遙遠星系的即時景像。

　　同樣道理，不僅宇宙是因為宇宙和宇宙的碰撞產生爆炸形成的。我們的太陽系相信也是因為有兩個或兩個以上較大的星球發生碰撞產生爆炸形成的。因為在宇宙中，星係與星係發生碰撞，星球與星球發生碰撞產生爆炸也是時有發生的。因此，有理由相信，太陽系的形成很可能是因為有兩個或多個星球在空間的慣性運行中，因電磁力或其它力的作用發生碰撞後產生巨大的爆炸而形成的。

　　星球撞擊大爆炸後，星球因撞擊不斷產生核爆，燃燒、巨大的動能製造了巨大的核磁反應，造成了不斷的核爆炸，形成了太陽。所乙太陽的能量來自於其自身巨大的質量和天體運動產生巨大的動能，巨大的質量和天體運動產生巨大的動能是恒星不斷產生核爆，燃燒的主要原因，甚至所有星球的能量都來自於天體運動產生的動能。太陽因受到猛烈撞擊還產生了慣性的自轉運動，不斷的核爆、熱力使轉動的太陽沿著轉動的方向產生橫向的磁場力和電磁力帶動了分子化合物形成的行星環繞太陽的運行。爆炸之初，太陽系充滿星球爆炸的碎片、灰塵和氣體，而且十分熾熱。因為大的碎片有較大的電磁力，因此，細小的碎片、灰塵和氣體向較大的碎片集結形成了行星。

然而，太陽因撞擊產生轉動的方向決定了行星運行和自轉的方向，也就是決定了地球的太陽由東方升起還是由西方升起。漫長的歲月過去了，太陽系的行星外殼冷卻了，太陽系也形成了。

哪麼星系又是如何形成的呢？星球因天體運動中產生巨大的動能從而產生巨大的磁場和磁力，巨大的磁場和磁力使一定範圍內的星球向大質量、大磁場和大磁力的星球集結，星球不斷的向大質量、大磁場和大磁力的星球集結續漸形成巨大的磁場和磁力漩渦，大量的數以億計的星球環繞巨大的磁場和磁力漩渦運行，星系因此形成了。

重力或引力存在嗎？我認為是不存在的。在太空中，中國神舟十號太空船上，我們看到太空倉裡的人和物件浮了起來，重力不存在了。特別是哪個陀螺旋轉的實驗，很能說明陀螺只有在無重力或引力的環境下，才能做到既要漂浮、運行又可轉動這樣的實驗。換句話說，星球、星體能在太空中漂浮和在軌道中運行而且自轉，是因為星球、星體對於太空來說是不存在重力或引力的，所謂的重力或引力，實際上只是不同形式的磁力或磁場力的作用，正如大質量的磁鐵會吸引小質量的磁鐵一樣。同樣道理，大質量的星體會牽引小質量的星體，甚至大質量的星體會將小質量的星體吸引過來造成星球

第二篇　我的宇宙觀

撞擊。同樣道理，大質量的星系對小質量的星系有這種磁場力的作用，我認為這種力不是重力或引力，而是磁力或磁場力。正如大質量的磁鐵在一定的離內也會小質量磁鐵的吸過來一樣。

　　神舟十號太空船在太空中，如果是在沒有空氣的真空環境下，這樣的駝螺實驗就更能充分說明地球既要運行又可自轉的問題，同時也說明瞭在有所謂重力的地球環境下，即使是在真空的環境裡，這樣既要漂浮、運行又可轉動的駝螺實驗是無法做到的。因此，所謂的引力相信只是星球因天體運動產生的磁場力，我們人類感覺的物體重量，只是因為我們生活在地球大氣層內由於地球的自轉和環繞太陽公轉運動產生的未被人類認識的地磁力或超電磁力，人和物體被地磁力吸引的一種錯覺，我們人類在地球某一點上用微觀的角度看待所謂重力的方向是不對的，因為在天體用宏觀角度看待物體的所謂重力的方向，就不存在方向性了，因為在地球大氣層內，所有物體的所謂重力的方向是向著地球核心的，物體的所謂重力的方向只能從某一點下跌到地球的核心，物體不可能從地球的核心上升到地球的另一面甚至衝出大氣層奔向太空，所以從天體用宏觀角度看待物體的所謂重力的方向，是不存在方向性的，既然沒有方向，又何來重力呢？　。

所以，這種力不是什麼重力或引力，而是地磁力或超電磁力，由於在大氣層內的氣體分子也是地球的一部份，因此，這種力在離開地球大氣層一定的範圍後就不存在了，正如太空倉裡的人和物失去重力浮了起來一樣，重力不存在了。也正如一個帶滿鐵碎的磁鐵圓球當離開地球一定的距離後（例如一萬公里外），磁鐵圓球不存在重量了（因為沒有被地球吸著），但周圍佈滿的鐵碎仍被磁鐵圓球吸著，我們人類感覺的重力就像鐵碎被磁鐵圓球吸著一樣，然而離地球一萬公里外的磁鐵圓球是不存在重量的。同樣道理，星球、地球對於無邊無際的太空來說也是不存在任何重量的。

事實上，所有物體包括星體對於太空來說都不存在任何重量或引力，否則，太空中巨大的星體和它們巨大的重量怎可能在太空中漂浮和極速運動呢？例如，如果太空中的星體真有重量，哪麼星體它們重力的方向是什麼呢？因為地球大氣層內所有物體重力的方向是向著地球的核心的，在地球另一面他們物體重力的方向就是我們的相反，也就是說物體所有重力的方向在抵達地球的核心後，就會相互抵消。所以，所謂的重力根本就不存在方向，只是人們站在地球上用微觀的角度看待所謂的重力方向的錯覺，但在巨集觀的太空中用巨集觀的角度看待所謂的重力方向是不存在的，所以既然重力的方向是不存在的，又何來重力呢？

第二篇　我的宇宙觀

　　還有如果太空中真有所謂的"黑洞"，哪麼所謂的"黑洞"它們重量的重力方向又是什麼呢？如果你認為有個重力，就必然有個方向，哪麼，又是什麼物體吸引"黑洞"的呢？所謂"黑洞"重力的方向又是什麼呢？為什麼重量哪麼大的"黑洞"能在太空中漂浮和極速運動呢？等等問題都是無法理解和解釋的。

　　所以，所謂的重力或引力，實際上很可能就是未被人類認識的地磁力或超電磁力，只是與我們常見的靜電、直流電、交流電的性質有所不同而異。然而，它的性質與我們所說"重力"的性質是相同的。例如：物體密度越大作用力就越大，也就是重量越重。這種力不僅對固體物質能產生力的作用，而且對液體、甚至空氣和所有分子化合物同樣能產生磁力的作用。然而，這種力不是什麼重力或引力，而是由於分子化合物組成的星體作天體運動，例如地球的自轉和環繞太陽公轉運動產生的未被人類認識的地磁力或超電磁力，正如大的磁鐵和小的磁鐵在一定的距離內會將小的磁鐵吸引過來一樣。

　　雖然我們在地球上感覺平靜，但地球是以每秒約 30 公里的速度環繞太陽公轉，然而地球赤道的自轉速度每秒也達 4 百多米。事實上，磁力會因為物體間的距離改變而改變，距離愈近磁力愈強，這也和地球地心吸力性質是一致的，物體離地球越遠，地球對它的磁吸力就越

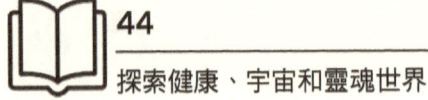

探索健康、宇宙和靈魂世界

弱。

　　如果星球或星體真有重量，哪麼肯定很重、很重，很難設想有什麼力能推動它們，然而，即使有個什麼力能推動它們，地球和星球也會因為它們的重量作出每秒約 30 公里極速的天體運動而被撕裂粉身碎骨，因此，反過來說，也正因為所有物體包括星體對於太空來說都不存在任何重量，物體和巨大的星體才可以在太空中做極速的天體運動，這樣極速的天體運動甚至宇宙運動或太陽光的光伏作用、靜電作用等相信是地球和所有分子化合物引發星體產生地磁力或超電磁力的主要原因，這也和讀書時的實驗很像，老師用筆在頭髮上擦了幾下，用這支筆很快把桌面上的紙屑吸住了，也許地心吸力就是這個靜電的道理一樣，地球的吸引力也就是所謂的重力，就是未被人類認識的超電磁力了。

　　我們可以設想，假如地球或星球有一條幾米寬管道的直徑穿越地球，如果將一個物體拋落這條管道，物體在下跌到地球或星球的核心後會怎麼樣呢？顯然物體在下跌到地球或星球的核心後相信也不會有所謂的重量了，因為在地球或星球的另一方向面物體不可能往上跌的，因此，在地球或星球的核心，物體的重力不存在方向性，也就是說從宏觀太空中的角度看，所謂重力的方向是不存在的。

第二篇　我的宇宙觀

　　自然界是由不斷運動著的物質所組成，絕對靜止的物質是不存在的，不僅星體、星系甚至宇宙也在不斷運動著的。物質運動必然會產生磁場，天體和磁場是不可分割的整體，只要天體存在運動，它周圍就一定有磁場存在。各類物質結構由於運動方向的不同，運動速度的差異，會產生無數大小不一、強弱不同的磁場，較大的物質結構產生較大的磁場，較小的物質結構它們的運動會產生較小的磁場，區別在於是微觀或宏觀而異，大對於地球來說，所謂的重力方向是向著地球的核心的，當所謂的重力方向到達地球的核心後，所謂的重力方向就不存在了。所以對於宏觀的天體來說，地球所謂重力的方向又是什麼呢？顯然地球所謂重力方向對於宏觀的天體來說是不存在的。

　　物質運動必然會產生磁場和電磁力，因此，我們知道微觀物質的有強核力和弱核力，甚至還有更微觀的，但現在還無法知道，強核力和弱核力使物質形成分子化合物。然而，比我們常見的電磁力更宏觀的，相信是行星如地球環繞太陽的公轉和自轉產生的磁場力和超電磁力了。

　　我們知道，太陽和行星因天體運動都會產生磁場，也就是說它們都有磁場。太陽自轉時，太陽的磁場力就會作圓形的橫向圓周運動，由於行星和地球對於太空來說不存在任何的重量，因此太陽轉動的磁場力就很容易地帶動了行星如地球環繞太陽的公轉，此外，太陽光的熱斥力和照射也推動了行星的自轉。同樣道理，地球自轉的磁場力也帶動了月球和衛星的運行。

所以，星球的天體運動會產生出兩種以上的力，一種是向著星球核心的超電磁力（地心磁吸力），另一種是向著星球天體運動方向作圓周運動的磁場力。行星的極速天體運動產生的超電磁力（地心磁吸力），也就是我們所說的所謂重力或引力了，也許更大的天體運動還會產生更超級的磁場力和更超級的超電磁力，甚至宇宙或天體是由更超級的磁場力和更超級電磁力主宰和帶動的。

所以，我認為所謂的重力，就是分子化合物之間的超電磁力吸力，例如地球大氣層內的物體會相吸，然而所謂的引力就是星體運動形成的磁場力，物體在星體磁場內會被環繞星體運行的方向帶動，正如電子環繞原子核運動一樣，大的星體運動產生大的磁場和超電磁力，小的星體產生小的磁場和超電磁力。磁場和超電磁力是宇宙或天體運動的主宰，而不是所謂的重力或引力。

地球和行星吸收了太陽的電磁力通過自轉和公轉產生了磁場和電磁力，並產生了南北兩極，形成了地磁吸力，也就是地心吸力了。這和讀書時的實驗很像，老師

第二篇　我的宇宙觀

用筆在頭髮上擦了幾下，這支筆很快把桌面上的紙碎吸住了，也許地心吸力就是這個道理，其實，這種力不是什麼重力或引力，而是由於天體和地球不斷的自轉和公轉運動產生的未被人類認識的地磁力或超電磁力。所以，如果地球停止了公轉和自轉的運動，也許地心吸力（地磁力）就沒有了。地球存在南北兩極，指南針的應用，雷電等現象都說明地球存在強大的磁場和超電磁力。

　　萬物皆有磁力而非必須鐵質才可有磁力，大磁場牽引小磁場，這是不變的，只要是物質，都有磁力，只是表現的形態不一樣吧了，事實上，沒有人能否定地球存在南北兩極，地球存在南北兩極，證明地球本身就是一個強大的磁體，甚至所有星球都是磁體和磁場，而且相信是因為星球或地球能形成磁體和磁場都是不斷的自轉和公轉的天體運動產生的。

　　能量來自於哪裡？所有物質的能量都來自於運動，包括天體、星系、星球、甚至微小粒子，任何物質都在不斷運動，絕對靜止的物質是不存在的。質量巨大的星球，如我們的太陽還因為質量巨大在不斷的天體運動中產生巨大的動能，巨大的動能啟動了太陽的粒子，從而產生巨大的太陽地磁力和巨大的磁場，由於太陽巨大的動能和巨大的地磁力作用，太陽中心壓力巨大，所乙太陽核心區域處於高度壓縮的狀態，密度和溫度很高，從而產生核聚變，引發核燃燒和核爆炸，產生巨大的能量。所以，太陽的能量來自於不斷的天體運動，甚至所有星球的能量都來自於天體運動產生的動能。只是質量巨大的星球能產生核聚變，引發核燃燒和核爆炸，產生巨大的能量；質量較小的行星（如地球）只能產生地磁力，也就是所謂的"重力"。事實上，不僅太陽的能量來自於不斷的天體運動，而且所有星球都是如此，巨大的星球如太陽會因為核心區域處於高度壓縮的狀態，密度和溫度很高，從而產生核聚變，不斷引發核爆炸，產生巨大的能量；較小的行星如地球雖然因天體運動產生的地磁力（重力）和磁場沒有太陽的哪麼巨大，但地球也因為天體運動產生的地磁力從而影響天氣（如台風、雷電、瀑雨等）或地球的內部產生高溫甚至引發少量核聚變，產生少量的核爆炸（如火山爆發，地震等）。

所以說，所有星體包括太陽的能量，都是來自於星體的天體運動，沒有天體運動，星體的能量就會消失。然而，星體質量越大，星體在不斷的天體運動中產生的動能就越大；動能越大，星體越容易產生核聚變，引發不斷的核燃燒和核爆炸，產生巨大的能量（如太陽）。相反，星體質量越小，星體在不斷的天體運動中產生的動能就越小，地磁力也越弱（如木星在太陽系中因為質量較大，動能和地磁力也較強，所以在太陽系中表面的氣候是最活躍和最惡劣的行星）。大量的天體運動反過來會產生巨大的磁場力，在星系的中心甚至產生巨大的磁力

第二篇　我的宇宙觀

漩渦，形成巨大的星系。所以，巨大的星系產生巨大的磁力漩渦，較小的星系產生較小的磁力漩渦；星系、星體在天體運動中是相互作用的，甚至星體在星系的中心會被這個巨大磁力漩渦的核爆區粉碎，轉化為能量和磁力。然而，反過來正是這些能量和磁力又推動了星系的運行。所以，星體在天體運動中通過星系的中心巨大的磁力漩渦可以轉化為能量、磁場、磁力等。在一定的條件下，能量、磁場、磁力再轉化為物質，經過漫長的歲月，物質又可組合成星體，再形成星系。因此，星體、物質、能量、磁場、磁力在天體運動中形成這樣一個不斷循環的過程。

　　事實上，太陽對地球和行星最少產生了三種以上的力。第一，太陽自轉形成的磁場力帶動了地球和太陽系行星環繞太陽的運行；第二，巨大質量的太陽因天體運動中產生巨大的太陽地磁力將一定距離內的行星如地球的吸引力；第三，太陽的電磁力對地球和行星產生的磁浮力或熱斥力推動了地球和行星的運行和自轉。例如，早晨太陽從東方升起，太陽的電磁力或熱斥力對地球產生了推動作用，然而，地球又受到太陽自轉產生磁場力的推動，由於地球和行星不存在重量，因此，在第一、二、三多種力的推動下作了既要環繞太陽的運行又可自轉的慣性運行了。反過來，地球和行星的運行又帶動了太陽的轉動，它們的關係很可能就如發電機和電動機的原理一樣，太陽就如發電機；地球和行星就如電動機。

太陽的轉動產生的磁場力推動了行星的運行；相反，行星的運行又如電動機帶動了太陽的轉動。

事實上，地球和行星環繞太陽運行就如磁浮列車環繞地球運行一樣，只是星球是個球體，而且還有太陽的電磁力或熱斥力對地球產生了自轉的推動作用而異，然而，如果磁浮列車是個球體，人類要做到磁浮列車如地球和行星環繞太陽運行哪樣的既要運行又可自轉哪樣的效果，用磁浮列車這樣的技術相信是不難做到的。

同樣，地球和行星的自轉又產生了它們自身的磁場和磁場力，並帶動了衛星如月球的運行，正如你在水盆中用力攪動，水也會作慣性的旋轉運動，這和電子環繞原子核運動有相似的地方，只是星球之間的天體運動是宏觀的，電子環繞原子核運動是微觀的而異。

但是，由於地球和行星沒有光能量的電磁力推動衛星，也就是沒有了第二種力。所以，月球和衛星只會不斷地調整地球垂直的角度而不會像地球和行星哪樣產生自轉。這樣的實驗即使在地球上通過磁力推動是可以做到的。例如，如果磁浮列車是個球體，而且這個球體也出現以上兩種力，那麼這個懸浮列車也可以做到像地球那樣既可運行又可自轉了。

第二篇　我的宇宙觀

　　然而，除了只有磁力才能解釋地球和行星既要運行又可自轉之外，引力說法是做不到這樣既要運行又可自轉的實驗的。這不僅說明瞭行星為什麼繞太陽運行，而且還說明瞭行星為什麼自轉和帶動了衛星，這也是引力之說無法解釋的。所以，我認為引力是不存在的。

　　讀書時，老師拿著個球比喻地球說，地球如何因慣性和離心力運行，另一方面又因太陽的引力吸引，但現實驗要做到既要自轉和環繞太陽公轉運行又被吸引是做不到的。如果真有引力，地球就要像我們用很多繩子拉著一個籃球一樣用力揮動，但事實是籃球永遠也不可能像地球哪樣，既要環繞太陽公轉又可自轉。

　　如果真有引力存在，引力就應該是對地球每一個點產生引力作用的，既被吸引又何來自轉呢？這不是自相矛盾嗎？當然，如果地球正如我們常看到的地球模型那樣，在南、北兩極有一條中軸，然而，引力又只能對那條中軸吸引，中軸不轉，地球轉，這是可以做到既被吸引又可自轉的。但事實上，地球和行星根本就不存在中軸，然而，引力也不可能只對那條中軸吸引。

　　也許有人認為，為什麼月球和衛星沒有沿直線運動，逃逸到外部空間，而是圍繞地球運行呢？這不是引力作用嗎？哪麼，如果真有引力，太陽引力為什麼只對地球有引力作用，為什麼對月球和衛星沒有引力作用呢？如果太陽引力對月球和衛星有引力作用，為什麼對月球和衛星能環繞地球運行呢？這有如何解釋呢？所以我認為這是與引力無關的，因為如果真有引力，要做到既要自轉和環繞太陽公轉運行又被吸引是做不到的，萬物皆有磁力而非必須鐵質才可有磁力，大磁場牽引小磁場，例如星系的大磁場牽引小磁場無數的星球運行，太陽的磁場牽引太陽系的行星環繞太陽運行，行星的磁場牽引衛星運行（如地球牽引月球和人造衛星等），由於它們之間磁場的距離、層次和性質不同，因此它們之間磁場的牽引不會相互影響，正如電子環繞原子核運動因為層次的不同，所以不受地磁力（也就是所謂的重力）的影響一樣，但引力之說又如何解釋呢？

　　神舟十號太空飛船哪個駝螺旋轉實驗很能說明星球、星體只有在無重力的環境下才能做到既要作慣性運行又可自轉這樣的實驗，在神舟十號太空飛船倉裡，如果是沒有空氣的真空環境下，這樣的駝螺實驗效果就會更好，更能充分說明既要運行又可自轉的問題。

　　如果真有引力，地球和行星就肯定會被太陽吸了進去。例如，如果我們將地球比作太陽，球體物體比作地球，在大氣層內有"重力或引力"存在的地方，無論你用多大的氣力拋出哪個球體物體，哪個球體物體都會很

第二篇　我的宇宙觀

快跌落地下，沒可能做到地球對太陽，衛星對地球在空中運行哪樣的效果，為什麼呢？因為有所謂的"重力或引力"的存在。

所以說，物體要像地球對太陽，衛星對地球哪樣在空中運行，就必須在沒有"重力"或"引力"的情況下才可以做到在空中運行。反過來說，地球和行星能環繞太陽運行，是因為沒有重力或引力的存在。同樣道理，月球和地球上的衛星能環繞地球運行也都是因為沒重力或引力的存在，否則如果月球和衛星在大氣層內因為有重力或引力的存在就肯定要掉落地球的地面上。

事實上，地磁力對太空船裡的人和物體的吸力都是十分微弱的，所以，離地球越遠"重力"就越微弱，甚至沒有"重力"了。如果在離地球一萬公里遠的太空裡，即使是一砘重的黃金相信在哪裡也沒有任何"重力"了。我們知道，兩塊磁鐵的距離越遠，磁力就會因為距離越遠，而變得越弱，太空倉裡的人和物，離地球遠了，地磁吸力下降了，所以"失重"了就是這個道理。

任何物體只要被吸引，都不可能既要漂浮、運行又可產生自轉，地球能漂浮、運行又可產生自轉說明太陽沒有引力吸引地球和行星。所以我認為，"重力或引力"在太空裡是不存在的，事實上任何物體在離地球一定的

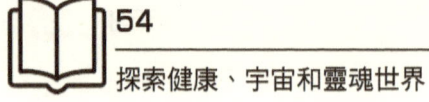
探索健康、宇宙和靈魂世界

距離後就不會有什麼"重力或引力"了。同樣，星球也一樣，無論星球或星體有多大，對於太空來說，都不會有任何的重量或引力，這也是為什麼星球或星體能在太空中漂浮的原因，如果星球或星體真有重量，肯定很重、很重，很難設想有什麼力能推動它們，即使有個什麼力能推動它們，地球和星球也會因極速的天體運動而粉身碎骨，更不可能還有什麼自轉了。

此外地球的漲、退潮也與太陽電磁力對地球強弱的影響有關。當太陽、月球、地球成一直線時，太陽直射到地球的磁力因受到月球阻擋的部份而削弱。因此，地球正面和對稱面出現了地磁力吸力的下降，地磁力強的地方向磁力弱的地方擠壓出現了漲潮，這也是引力不能解釋地球正對面同時出現漲潮的原因。

再說，太陽對地球磁力強弱的變化不僅影響漲潮或退潮，而且相信還會影響氣象甚至動物、人類的情緒和健康，因此，地球磁力強弱的不斷變化不僅形成了季節甚至影響人和動物的情緒和健康。

地球的不斷運轉，太陽正面照射的地方也在不斷改變，地磁力的強弱也隨著太陽正面照射的地方改變而不斷變化，太陽正面照射時，地磁力較強，擠壓了海水，所以漲、退潮的波幅也是一天二十四小時的。此外地球

第二篇　我的宇宙觀

對太陽的角度的改變產生了季節，季節的更替使太陽光對地球正面照射的地方也在不斷改變，從而也影響了地磁力的強弱。地磁力強弱的不斷變化從而對大氣層產生了高壓和低壓，地磁力強時空氣被吸，擠壓了空氣，出現低壓；

同樣道理，地磁吸力轉弱時，空氣擠壓力不夠強，出現了高壓。如果你常有看衛星氣象雲圖，你就會發現地球南極和北極附近的地方永遠都是高壓區，赤道附近的地方永遠都是低壓區，哪是因為地球赤道附近的地方轉動最快，太陽光正面照射的地方也是地磁力最強的，地磁力強擠壓了空氣形成低壓；反之，南極和北極附近的地方因地磁力相對較弱，出現了高壓，地磁力弱對空氣吸力就會下降，加速了空氣的流動，使南、北兩極形成極地漩渦，北極附近永遠都吹西北風，南極附近永遠都吹西南風，我相信是和地球轉動的方向有直接關係的。正如我們將一個氣球在中間位置擠壓，氣球的兩端就會脹起來出現了高壓。

地球運轉的不斷變化，如日間陽光對地球的照射地磁力會較強，相反夜間會較弱。地球運轉的不斷，導致地球地磁力的強弱也在不斷變化，並形成空氣高低壓的不斷流動和擠壓，從而形成了氣流、風和雨水甚至颱風、龍捲風。當然地形對氣流的影響也很重要，海面上沒有地形對氣流產生阻擋作用，海拔低地磁力也相對高山和高原的地方強，地磁力的強弱也因地形的變化而改變，這不僅對氣流產生影響，而且海拔越高，地磁力越弱，地磁力對空氣吸力下降，空氣越稀薄。所以，在同一緯度的情況下，海洋因地磁力較強而出現低壓，高山和高原的地方因地磁力較弱而出現高壓，地磁力強弱的不斷出現變化相信是形成風和氣溫變化的主要原因，地磁力越強氣溫越高，反之，地磁力越弱的地方氣溫越低，水氣向著氣溫低和地磁力弱的高空集結，形成了雨水。

　　地球磁力強弱的變化不僅影響氣象，甚至相信還與地震有關，我不相信地球有什麼板塊，也不相信地震是地壳板塊相撞造成的，因為地球每天有數以萬計的地震發生，有淺層的也有深層的，有強烈的也有微弱的，地球不可能每天有哪麼多的地壳板塊相撞，而且深淺不同。我認為地震是因為地球的天體運動如自轉和環繞太陽公轉運動產生的地磁力，因地磁力或靜電的強弱和累積造成的，正如大氣層中的雷電和北極光等一樣，地震出現地震光說明地震是一種放電現象，與雷電和北極光等分別是不大的，只是雷電是在大氣層中，地震在地壳中的分別。

　　例如：太平洋海水不斷運動產生的靜電累積，造成了太平洋地震帶，如果你有細心观察，太平洋地震帶基

第二篇　我的宇宙觀

本上是處於深海與陸地高低落差不遠的地方，深海與陸地高低落差越大，大地震越容易在此附近發生。這可能是與海水運動不斷擠壓陸地產生靜電累積造成的。

　　既然雷電人們能夠預防，如在大廈頂層按裝避雷針以釋放雷電能量預防雷電，哪麼，有理由相信地震也是能夠預防的。例如在人口密集的城市深入地下多按裝一些像避雷針這樣的放電裝置，以釋放地下靜電能量，達到預防地震發生的效果。物體運動會產生靜電，因此，易然物品的貨運車也有放電裝置，地球的天體運動產生南北兩極，如果北半球是正電，哪麼南半球就是負電。因此，我有個奇想，如果用條通電的導線插在日本帶正電深層的地方上，再連接到紐西蘭插在帶負電深層的土地上，說不定兩國間正負靜電能量得到釋放中和，從而可能解決兩國的地震問題呢？

　　所以，太陽沒有引力吸引行星，行星只是在太陽的磁場和磁場力的推動下在軌道上環繞太陽運行；同樣，衛星也一樣，行星也沒有引力吸引衛星，衛星只是在行星運轉產生磁場力的磁場內，在磁場力推動下的軌道內運行，在大氣層內所有分子化合物因為超電磁力的作用會產生相吸，向著地球的核心吸進去就是我們所說的重力了。人造衛星離開大氣層進入太空，人造衛星沒有被地球吸引了，人造衛星也就沒有"重力"，所以人造衛星只能根據運動力的方向在地球磁場的範圍內作慣性運行，這和電子環繞原子核運動的模式是很相似的。如此類推，星系也一樣，星系的中央也有一個比太陽更巨大能量的運動和更巨大能量的磁力旋渦形成一個更強大的磁場，星球在這個更強大磁場的磁力推動下運行，然而，星系附近的星球都會被這個更強大的磁場所吸引從而加入這個星系的運行。

因此，我們觀察到的星系、太陽系的運動是以中心磁場力的餅狀形態橫向推動的，而不是球狀或其它形狀的形態存在，這和我們看到的星系和颱風的形態為什麼有相似地方的原因。地球在真空環境下既被吸引，又要環繞太陽運行和自轉，是不可能的，因此，我認為宇宙中的物質運動，星球運動，星系運動甚至宇宙運動都是磁場和磁力的作用，只是磁場和磁力微觀和宏觀的分別而異，微觀的如強核力和弱核力，宏觀的就是超電磁場和超電磁力，所謂的引力實質就是星球的磁場力。

萬物皆有磁力而非必須鐵質才可有磁力，大磁場牽引小磁場，這是不變的，只要是物質，都有磁力，表現形態不一樣和皆有磁力定律無衝突。萬物的基本元素都一樣，不同的組成結構狀態產生不同的形態。只要有一個巨大磁場作用狀態下，都會磁化，磁場和磁力是證實存在的事實，而且相信有微觀的，也有宏觀的，甚至是

第二篇　我的宇宙觀

超宏觀的,對於宇宙來說,地球只是個極小的一個點而異,人類在大氣層內用表面的重力學說解釋天體和宇宙力學,終有一天會被磁場和磁力所取代,用磁場和磁力解釋天體和宇宙力學,相信才是最有科學根據的,也許天體或宇宙運動都是磁場和磁力真正的帶動者,反過來說,天體或宇宙運動又會創造更大磁場和磁場力。所以,未來的人類要實現離開地球,傲遊太空,最理想的工具很可能是研發反地磁場和地磁力的裝置,而不是火箭或別的。

　　至於星球和地球磁極,我認為星球和地球雖然存在南北兩極,但南北兩極的地方是在不斷微調和移動的。如地球現在南北兩極的地方,幾億年前未必在南北兩極,因為如果南北兩極的地方永遠都是南北兩極,哪麼北極熊、南極企鵝怎可能選擇到南北兩極這樣寒冷惡劣的環境生活呢?因此我相信現在南北兩極的地方幾億年前未必在南北兩極,而是在天氣比較溫暖的地方,只是因南北兩極的地方在不斷微調和移動而移到了寒冷惡劣的南北兩極,然而其它的生物因寒冷惡劣而消失,只有北極熊、南極企鵝這些物種應生存。所以我認為南北兩極的地方是在不斷微調和移動,我們現在所處的位置說不定幾億年後會在南北兩極。

　　對於黑洞,我也有以下的看法。根據黑洞理論,黑洞是一個時空黑暗區，由品質頗大的星體經重力壓縮所剩餘的，是一個重力極大的天體。視界內任何物質都會被吸進去，甚至是連光都不例外，所以是一顆漆黑的天體，因而得名為黑洞。

　　黑洞真的存在嗎？我認為是不存在的，為什麼呢？因為如果看到黑色的地方就認為有個黑洞，那是不科學的。例如：太陽也有兩個地球那麼大的黑子，那麼，太陽黑子的地方是不是也有個黑洞呢？事實是太陽根本沒有什麼黑洞，太陽黑子只是較其它溫度低造成沒有其它地方的光亮，太陽黑子不是沒有光，只是沒有其它地方那樣光亮的一種錯覺。同樣道理，星系中央那個圓的黑色部份也許不是什麼黑洞，很可能只是一個沒有星球撞擊、沒有星球爆炸較為平靜的空間，這個空間也不是沒有光，只是像太陽黑子那樣因為沒有星球撞擊、沒有星球爆炸那些地方那樣光亮的一種錯覺。

　　其實，在我們的地球裡，颱風也有類似星系運動這樣的一種情況，颱風越大、颱風的風眼也越大；同樣，星系越大、黑色的地方也越大。然而，大家都知道，風眼的風力是最小的，也是較為平靜的，只有颱風中心的邊緣（臨界的地方）風力才是最大。如果星系運動真的如颱風那樣，那麼，星系的中央就有一個十分強大的旋渦，而這個旋渦很可能是因為星系中央星球密度的增加

第二篇　我的宇宙觀

和加速造成星球撞擊、不斷的核爆炸力引發極大和極速的電磁力等推動的。撞擊、爆炸、熱力使爆炸邊緣的星球氣體化，並形成了巨大的磁力旋渦。然而，星系裡黑暗的邊緣（臨界的地方）是星球與星球撞擊、爆炸的密集區和最活躍區。所以，顯得特別光亮，然而，星系的中心點則與颱風的中心點（風眼）一樣因相對較為平靜因而光亮度不如爆炸的密集區，正如太陽黑子那樣看到的是黑色的一種錯覺。

如果真有黑洞，如果真的是所有物質都會被吸進去。那麼，星系的中心點一定會有很多很多的星球向黑洞撞擊，不斷的撞擊和巨大的爆炸，所謂的黑洞應該是最光亮的，但為什麼是最暗的呢？你有看過核彈爆炸的中心點是最暗的嗎？

再說，從美國哈勃望遠鏡曾拍到所謂「黑洞」餅狀星系的照片，從中還看到星系的中心有兩個對稱龍捲風式似的管狀旋渦噴出強大的噴流，物體不斷地往所謂"黑洞"反方嚮往外噴出，正如餅狀星系的中軸一樣。所以，如果真有黑洞，如果真的是所有物質都會被吸進去。那麼，就不應該有兩個對稱龍捲風式似的管狀旋渦噴出強大的噴流。然而，龍捲風式的似管狀旋渦物體不僅沒有被所謂的"黑洞"吸進去，相反向星系的中心點（黑暗的地方）反方嚮往外噴呢？由此可見，星系中心

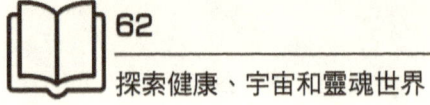

黑暗與光亮的邊緣一定有一個像颱風一樣極其快速、極其巨大的磁力旋渦，巨大的旋渦產生巨大的磁力並引發出龍捲風式的磁力噴流，而龍捲風正好也有將物體往上拉的特點。

也許，星系也正如我們從氣象衛星看到的颱風或龍捲風一樣，星系的中央有一個巨大的磁力旋渦，雨點等如星球。再說，人類到現在還沒有發現有任何能將光線都吸進去的物體，為什麼黑洞之說卻輕言光也被黑洞吸進去了呢？這不是無中生有嗎？如果這樣的邏輯也能成立，那麼任何事物也可亂說一通了。

綜上所述，我認為黑洞是不存在的，宇宙中也沒有什麼"奇點"，也許奇點只是某些人鑽牛角尖鑽出來的吧。最後，還是覺得俄羅斯有位元物理學家說的很好，他說，宇宙自始至終存在，試圖發現一個起點和所謂的終點是沒有意義的。我也相信，宇宙既不會有開始，相信也不會有終結。

第三篇

探索看不見的靈魂世界

　　每個人也有自己的小天地，你家裡就是你靈魂創造的小天地了。也許宇宙也是這樣，宇宙不會無中生有，而且相信宇宙也有靈魂，是靈魂世界創造宇宙，甚至操

控宇宙的。

　　那麼，靈魂是從哪裡來的呢？是不是世界上除了物質、能量和光波外，還存在另一個靈魂的世界呢？事實上，物質不僅存在能量和光而且還存在訊息和粒子運動力等，例如：強核力和弱核力，強核力、弱核力、訊息、能量和光是組成物質的基楚，沒有強核力、弱核力、訊息、能量和光，物質就不存在。任何物質都在不斷運動和產生形態上的變化，物質的不斷運動和形態上變化就是訊息的改變，例如：核彈爆炸不僅有光和熱，而且還有力、訊息如聲波和產生形態上的變化等，物質轉化為能量不僅有光而且必然產生力和形態上的變化以及音波等訊息的傳遞，事實上，物質形態上的變化就是訊息表達的一種形式。也許靈魂不是物質，靈魂是磁波能量和訊息世界組成的訊息思維體，或者是人類未知的超磁波能量和超訊息世界組成的超訊息思維體。

　　所以，宇宙應該是物質、能量、所有運動力以及靈魂訊息世界等的總和。質能關係式是否忽略了運動力和靈魂訊息世界甚至更多的未知要素呢？因為，任何物質都存在訊息，然而，訊息不僅存在於物質，而且相信在宇宙中無處不在，甚至是靈魂訊息世界主宰宇宙的，訊息、物質、運動力和能量才是宇宙的總體，正如一個人有身體、食物和靈魂思維一樣，缺一不可。不僅如此，

第三篇
探索看不見的靈魂世界

甚至靈魂訊息、物質、運動力和能量又是互動的,正如一個人要改變某一物質,首先通過思維訊息、能量和運動力才能將物質改變一樣。靈魂訊息世界通過訊息操控主宰宇宙中的物質、運動力和能量,操控宇宙的運行和用以提升宇宙的更高層次。

訊息思維在人類世界中,美國人有他們的美國夢,中國的主席說要實現中國夢,這不是唯心,因為如果我們任何事情都要唯物,又何來發明?沒有的,通過發明,可以創造,所以沒有夢想,何來創造呢?因此要發明,要創造和改變世界就必先有夢想思維,否則世界就毫無動力。所以,只有先有思維,才有動力通過能量去改變物質,才能發明、創造和改變世界。對於世界來說,物質是最低層次的,然而靈魂又分為低層次和高層次、甚至是超高層次,如果每事都唯物,也能停留在低層次的世界。現實生活中,身體不是真正的你,真正的你是靈魂,因為終有一天,靈魂也你會離開身體,進入更高層次的靈魂世界。

也許,在現實生活中,即使是植物,甚至泥土很可能也有人類感覺不到的靈性,只是靈性的高低層次不同而異。雖然靈魂看不到,但人的靈魂思維卻是實實在在存在的。因為沒有人能否定,你和我都有思維,只是我們的靈魂思維不是以分子化合物的形式存在。然而,我們人類的肉眼只能看到分子化合物組成的世界，分子化合物組成的世界相對思維訊息世界和更高層次的靈魂世界來說只是一個最低層次的世界。雖然靈魂思維世界我們看不到，但靈魂思維是可通過指揮操作軀體發出聲音和動作將訊息表達出來，寫這篇文章就是靈魂思維訊息的表達。

我認為，雖然分子化合物是最低層次的世界，但靈魂思維世界的層次是多種多樣和極不相同的。螞蟻的靈魂思維層次比人類的低，但比人類靈魂思維層次高的相信還有很多很多，層次一個比另一個更高，甚至它們靈魂思維的層次程度可以操控宇宙或更高。人類和動物的靈魂思維是通過生活磨煉向著更高層次的世界發展的。然而，比人類更高層次的世界，由於局限於人類靈魂思維的層次，更高層次的靈魂思維世界，人類看不見，摸不著，正如你肚皮內的細菌也無法認識我們人類認識的世界一樣。

如果宇宙沒有靈魂思維，也許宇宙就沒有平衡點，正如一隻沒頭的蒼蠅亂衝亂撞，亂七八糟。如果宇宙沒有靈魂思維，星球、星係也許就無法運行，地球、人類也不存在了。早前，看美國探索頻道有一個節目，說明可見物質如星球，星係等對於暗物質、暗能量世界來說是很少的一小部份，甚至認為宇宙、星系、星球是由暗

第三篇
探索看不見的靈魂世界

物質、暗能量操控的。然而，星系、星球有條不紊的運行，使我們相信，宇宙不僅有暗物質和暗能量，而且還有靈魂思維世界，甚至宇宙是由更高層次或未知能量組成的靈魂思維世界中的高智慧思維體操控的。如果沒有靈魂思維世界對宇宙的操控，也許宇宙會像人類沒有思維那樣變得毫無意義和毫無生命力。

也許有人認為，思維只在人和動物的生命裡才有，事實是否如此呢？隨著科學技術的不斷進步，思維不僅在人和動物裡存在，而且現在人類已能創造出簡單的思維訊息電腦體了。事實說明，思維是可造的。正如你使用中的電腦就是可造簡單的思維資訊體，程式設計員將人類的思維創造成軟體在電腦中表現出來就是可造的思維。雖然電腦軟體這個思維的層次很低，但也說明思維體是可造的。

既然思維是可造的，那麼，有理由相信，靈魂思維不僅在人和動物裡存在，而且相信宇宙除了物質和能量外，還存在著我們人類看不到的隱形靈魂思維資訊世界，甚至宇宙是由靈魂思維主宰的。在我們人類肉眼的視覺頻率中，人類看到的只是一個分子化合物組成的世界，如我們的軀體、地球上所有可見的物質、星球、星系等。然而，分子化合物組成的世界如星球、星系等對於靈魂資訊世界來說很可能又是很微少的世界，也許就像我們看到天上有幾朵雲朵一樣吧；又如光速是我們人類已知為最快的速度，但對於靈魂世界來說光速很可能只是極低層次的慢速，對靈魂世界來說，它們認知的速度可能在瞬間就能飛越星系，甚至更快。

有人說將來類可以通過科學技術製造時光機回歸以前。這樣的說法我認為是不可能的，因為只有物質才有速度，但對於靈魂世界來說，靈魂思維永遠是同步的，即使在距離幾千億光年的星體中有一位人士，他的靈魂思維和你現在想的靈魂思維都是同步的，不可能回歸以前，這是靈魂思維不可逆轉和物質速度存在的根本區別。

由於靈魂思維資訊世界的思維體，如果是由磁波或未知的暗能量組成，因此它們穿透分子化合物組成的世界如星球、星系等，也許就像我們穿透雲和天空中的雲霧一樣。正如蚊子不能潛入海底，但海魚卻可以在幾千米的深海中穿梭，又正如聲音未必能穿透固體物質，但電流通過導線卻能瞬間穿透傳到很遠的地方一樣。也許靈魂思維世界的思維體不需要食物，它們要獲取能量就必須通過修煉，正如打電子遊戲那樣你打得越好，能量就會越多一樣。

也許靈魂思維世界的思維體由於是由暗物質、暗能量、磁波或未知能量組成，因此它們不需用眼睛觀察事

第三篇
探索看不見的靈魂世界

物,而是像電子感測器那樣感應世界的,甚至比電子感測器強億萬倍。也許思維世界的思維體由於是由暗物質、暗能量、磁波或未知能量組成,因此思維世界的思維體可能比吳承恩塑造的孫悟空更千變萬化,更神通廣大。

也許靈魂思維資訊世界的思維體由於是由磁波或未知能量組成,因此地磁吸力對於它們完全沒有作用,所以它們可以在太空中,甚至星球、星系中任意穿梭。也許,宇宙中所有的自然現象不是無原無故地自然生有,而是高智慧思維體操控的結果。例如:星系的形成、星球的運行。它們操控星系像颱風一樣,使中心點附近的星球產生撞擊引發核爆以獲得能量;操控星球的運行以提升它們思維的能力和提升思維層次和境界。

宇宙也許就像一台電腦,硬體代表物質,電流代表能量,軟體代表靈魂思維世界。也正如人類一樣,人體代表電腦的硬體,食物代表電腦的電流,人腦的思維代表電腦的軟體。如果電子遊戲的某個角色比作人類,那麼操控電子遊戲的就是更高層次的高智慧思維體,電腦對於電子遊戲那些角色來說就是它們的宇宙了。所以說,人類也是能通過電腦做到高智慧思維體對宇宙操控這樣的效果,只是人類做到的是極低層次而已。當然,你電腦裡那些電子遊戲角色一定不知道是你操控它們,

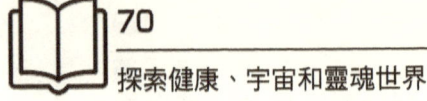
探索健康、宇宙和靈魂世界

也正如現實中的你，不知道還有高智慧靈魂思維世界在操控著你。

　　大家知道，如果沒有生物、沒有現代人類，即使再過幾十億年，地球上也不會有現在的文明世界，即使一個塑膠玩具這麼簡單的東西也不可能存在。那麼，生命是從哪裡來的呢？難道是無中生有的？我認為，凡事有因才有果。事實上，生命比飛機要復雜千萬倍，然而，飛機比塑膠玩具又要復雜千倍萬倍，如果沒有現代人類，即使塑膠玩具這麼簡單的東西也沒可能在地球上出現，更何況是比飛機要復雜千萬倍的生命呢？

　　所以，生命不可能是無中生有的，生命相信是還沒有被現代人類認識的高智慧靈魂思維體設計創造出來的，正因為這樣，人類才有五臟六腑和七情六欲。由於高智慧思維體存在的方式，不是由分子化合物組成的固體。因此，以分子化合物組成的人類由於視頻的頻率或感應的頻率不同，所以無法看到和認識高智慧思維體。這也是我們人類對高智慧思維體看不見、摸不著和感應不到的原因。正如你肚皮內的細菌由於它們存在的方式不同，因此也不能認識你一樣。然而，不僅高智慧思維體它們存在的方式不是由分子化合物組成的，而且我們人類自己的思維也是一樣，都不是由分子化合物組成的。因此，也是看不見、摸不著的。正因為這種神秘的

第三篇
探索看不見的靈魂世界

思維體人們看不見、摸不著,自古以來人們對這些無法解釋的神秘現象用「鬼、神」或 UFO 稱呼他們。

　　UFO 和靈魂的存在嗎?我認為是存在的,不明飛行物我於 2009 年 1 月 10 日遠足行山時見過一次。由於不明飛行物是向我的方向飛來,因此在飛近時,我很清楚看到的不是飛機或認識的飛行物。它是一個像初月形的發光體,就像一把發光的鐮刀一樣,在空中不斷旋轉,而且,很快消失在我的視野中。雖然哪也許是太空垃圾,但也正是因為這次經歷,我對 UFO 和靈魂思維世界產生了興趣,宇宙這麼大,地球那麼渺小,難道真的只有地球的人類才是宇宙中最有智慧的?這也許是人類太自以為是了吧。也正如你肚皮內的細菌一樣,也許它們也在認為,它們才是宇宙中最有智慧的生物呢?然而,即使是類似生物的物種,僅在太陽系內的木星和土星相信也有比人類智慧高得多的物種,因為木星和土星比地球大得多而且大氣層也比地球活躍得多,只是它們存在的方式未必是生物吧了,也許 UFO 的發光體就是它們存在的方式呢?

　　天外有天,神外有神,神外還有更強大的神。世界事物,一切有因有果。我認為,UFO 或思維體是由電磁波或其它未知的能量組成的,沒可能是由分子化合物組成的固體飛行物,更不能用分子生物學的角度去看待

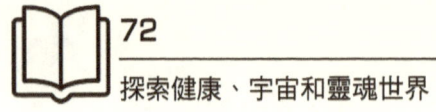

UFO 或思維體，然而，如果真有甚麼外星人，相信也是較低層次的分子生物。

　　靈體方面我也有過一次體驗，在一次單獨行山時，經過一條陰暗的山林經，感覺到有種無形的磁場力壓著腦神經，而且心裡有被壓著的感覺。雖然我不知道這是否與心理或與靈體有關，但此事使我相信在人類肉眼看到的世界外存在未被人類認識的另外一個隱形的世界，那就是靈魂智慧思維體「神」的世界。 UFO 和靈體也許就是具有生命能量由暗物質、暗能量、磁波或未知能量組成的靈魂思維體，人類的靈魂思維體也許就是智慧思維體世界裡的一員，我們的靈魂思維體也許在智慧思維體世界裡還只是處於極其低級的發展階段，它們存在於人類肉眼看不見的智慧靈魂思維體世界中。

　　大家知道，一個人死了，就沒有生命了，但人的靈魂思維體是否也因此消失呢？我認為未必，如果生命死亡，靈魂思維體也隨著消失，人類就不可能有發展，也不可能發展到現在這麼文明。作個比喻，試想如果你每天在電腦中所做的一切不作儲存，那麼，相信你所做的永遠也是空白。同樣道理，如果生命死亡，靈魂思維體也隨著消失，那麼靈魂思維體永遠也只能停留在原來空白的階段，何來人類發展呢？何來現代聰明的人類呢？所以，生命雖死，物質不滅，靈魂不息。

第三篇
探索看不見的靈魂世界

　　所以，世界事物所以能不斷發展是因為有儲存和繼承。相反，如果沒有儲存和繼承，世界事物就不可能發展。因此，生命雖然死亡，思維體會轉化為靈魂像夢境那樣繼續在空間搜尋，如果用電腦比作人體的生命，那麼軟體就是人的思維了，然而，使用電腦的就是「神」。如果用電腦的硬體比喻為人體的身體，那麼，思維體就等於電腦的軟體了，電腦的硬體壞了不能再用，但軟體卻可以通過輸入在新的電腦硬體中再用，這就是人體和思維體的分別。人體是有形的，思維體是無形的。

　　所以，我認為，腦之所以有思維是因為生物體存在生物電，生物電在腦體產生電波體，是腦的電磁波製造思維的，人體和腦電波體的不同是因為人體是由分子化合物組成的，是有形、可見的。因此，大部份生命體我們都能用肉眼看到，只有微生物需要顯微鏡才看到。然而，現在的科學技術不僅可以通過超聲波探測海洋，而且可以探測地底有沒有石油了。正所謂天外有天，神外有神，高智慧思維體由於是由極小的粒子或未知的磁波能量組成，因此，有理由相信，它們的能力超強，它們穿透地球、穿透星球就如我們人類穿透雲霧一樣。也許它們看待星系、星球就像我們看待空氣和雲霧一樣。

　　同樣，高智慧思維體由於是由未知的磁波能量組成，因此，它們的形態也許比吳承恩塑造的孫悟空更神通廣大，形態更是千變萬化，因此，它們可以突然出現，也可以瞬間消失。然而，高智慧思維體也如人一樣有好、壞、善、惡之分，因為這樣世界才會變得有競爭，才會變得多樣化和在競爭中謀求進步。

或者，靈魂思維體世界也像人們玩電子遊戲一樣，一步一步地進步和提升級別的。所以，人在遇到困難時不可輕易放棄生命，因為這樣終止了思維體的修煉就有可能像玩電子遊戲一樣，終斷了遊戲就有重新再玩的可能。然而，我們現在看到的UFO相信是比人類思維體等級高一些的靈魂思維發光體了，當然它們可以轉換頻道以思維發光體的形式在空中自由飛行，也可以像吳承恩塑造的孫悟空那樣神通廣大，形態千變萬化，甚至瞬間消失。地球上的生命也許是高智慧思維體設計、創造和合成的。低智慧思維體（如人類思維體）寄附於細胞組成的生命腦體中通過生活磨煉像玩電子遊戲一樣以提升級別。

因此，我認為，人體雖死，但思維體不滅，生命死亡後，思維體會轉換頻道跳到智慧思維體世界裡進行甄別。就像高考那樣，修成正果的，分數高的進入更高層次的思維世界繼續深造；分數未達目標的留在地球這個空間繼續搜尋，只要有新生命出生，只要生命腦體頻道適合，思維體又會寄附在那個生命裡繼續修煉以提升級

第三篇
探索看不見的靈魂世界

別。也許所有生命都存在生命個體遺傳，思維體通過修煉提升級別這樣一個不斷循環的過程，當級別提升到某一階段，就會進入另一個更高層次的思維世界，如此類推永無止境，正如螞蟻的靈魂層次將來也上升到人類靈魂層次一樣。

　　正因為這樣，人類才會越來越聰明，社會才會越來越進步。沒有靈魂，生命就不存在，更談不上進化。靈魂不僅是生命的主宰，而且也是生命進化的主宰，甚至是宇宙的主宰。因此，一個人聰明與否很可能與靈魂思維體有關，與遺傳關係不大，因為遺傳基因是由分子化合物組成的，人死後，一把火就煙滅了。靈魂思維體卻是由腦磁波組成，是看不到的，是兩個完全不同的概念，遺傳只能遺傳身體，遺傳腦部的發達與否。所以，孔明的兒子未必聰明，毛主席也只是出自農民家庭。

　　雖然人體死亡後好像什麼也沒有了，但靈魂思維體經過生活磨煉提升了思維層次級別就是最大的收穫，例如，你是一位膽小怕事的人，通過生活磨練，你不再膽小怕事了，下一世的回報就是不再膽小怕事。同樣，人類能感覺痛苦與快樂也是因為有靈魂思維體的存在，如果沒有靈魂思維體，所有生命就算任意宰割也不會有任何感覺，世界也變得沒有絲毫動力。

所以，我認為靈魂思維體是寄存於人類或動物腦部獨有的東西。因此，在睡夢時，我們不會感覺到自己的心跳、呼吸。這也許是因為我們睡眠時靈魂思維體改變了頻道，跳到隱形的靈魂思維世界中了，才有我們的夢境，在夢境中，由於你的靈魂思維體不是由分子化合物組成的個體，所以地球的地磁力不會對你的靈魂思維體產生地磁力的作用，也就是你的靈魂沒有了重量，因此你不用上太空也可以在睡夢時感受到失"重"狀態。也許你的身體不是真正的你，真正的你是看不到的，你的靈魂思維體才是真正的你。夢境也許正如看電視轉換頻道那樣，我們的靈魂思維跳到隱形的靈魂思維世界中了，在哪個世界裡，你的速度很快很快，即使你去到很遠的地方，只要一旦被驚醒，你的靈魂思維體會瞬間返回腦體。所以，大家都覺得夢境是那樣的真實。我試過有幾次深刻的夢境，在一、兩天後，夢境果然在現實生活中發生了。

如果真有隱形的靈魂思維體世界，如果我們的夢境真的是睡眠時，我們的靈魂思維跳到隱形的思維體世界裡，如果所有生命都是高智慧思維體設計、創造和合成的，那麼，人類的思維就有可能被思維世界裡高智慧思維體的調控、引導。因此，很多科學家的發明都是做夢後得到啟發成功的。所以，現代科學技術和發明有可能是在高智慧思維體的引導、啟發下取得。甚至人類和所有靈魂思維體動物的思維都受到高智慧思維體的監控和

第三篇
探索看不見的靈魂世界

引導,我們現在想做什麼,或將有什麼事發生,都在高智慧思維體的掌控中。事實上,古往今來,世上神奇、巧合的事實在太多,孔明也說:謀事在人,成事在天。這個天指的很可能就是高智慧思維體。

近百年以來,電子科技不斷進步,現在我們可以通過無線電波看到電視,可以通過磁波能量煮熟食物,可以通過無線電波用手提電話通話,可以通過磁力共震不用手術看到人體內器官有沒有病變,可以通過無線電波搖控衛星,美國甚至有新型坦克可以通過磁波科技將十米外的炸彈引爆,也許將來人們還可以通過科學技術製造智慧坦克,智能裝甲車,智能機械人,智能大炮,智能槍械等,用智能機械人,智能大炮,智能槍械等按裝在智能坦克,智能裝甲車上作戰,免除士兵參加戰爭的傷害。這些對我們現在人類來說是高科學技術的了,但對靈魂高智慧世界來說,這很可能是微不足道的。

所以,人類未來的世界將是電磁科技發展的世界,人類通過電磁科技或熱能追蹤製造高智慧殲敵槍械,高智能殲敵戰車,高智能殲敵坦克,高智能殲敵飛機,高智能殲敵太空衛星等。可以磁波科技監察和攔截導彈、核導彈,使引爆導彈、核導彈的電子裝置失靈;可以通過磁波科技使核武基地和那些新型鐳射武器的電子設備無法運作。也許未來的世界,彈藥性武器將被電磁科技發展的電磁武器取代，未來的世界人類將研發超電磁武器，甚至可以用以改變人的腦波頻率，從而達到改變人的腦思維，甚至操控擺佈人的腦思維，讓敵軍乖乖就範，任由他們擺佈。

或者，未來的人類還可以通過磁波科技將人的思維體提取，再輸入高智慧機械人成為真正的高智慧機械人，高智慧機械人通過光電能量可以隨時升空，利用太空中的用光電能量運行和維持人的思維永恆，甚至創造出靈活多變像孫悟空那樣的高智慧思維體，走向更高層次的非分子化合物資訊思維世界，用電波能量脫離地心吸力、以電波的光速任意地在宇宙中探索。也許古人已給了未來人類的暗示，嫦娥登月的願望實現了，吳承恩的孫悟空夢想也許以智慧思維體的形式再次展現人類面前，夢想真的可以成真。

天外有天，神外有神，而且我們的神之外還有更高層次，更強大的神。人的知識是有限的，但世界事物卻是無限的，我們不能用有限的知識去否定無限的世界事物。也許我們現在認識的宇宙只是未被認識的大宇宙與之比較很少的一粒沙點而異。然而，大宇宙之外又有超大宇宙，永無止境。同樣道理，「神」也一樣，神外也許有更強大的神，如此類推，永無止境。

第三篇
探索看不見的靈魂世界

　　我不太喜歡拜神,因為拜神必有所求,試想如果有人天天向你需索金錢或利益你會怎麼想?神也一樣,拜神就有向神需索利益之嫌了。所以,我認為做人應該順其自然,只要盡力了,即使在現實中沒有回報,相信靈魂思維體也會得到修煉和提升,何必要強神所難呢?也許對於螞蟻來說,我們人類就是螞蟻的神,也許螞蟻也當我們是神和拜我們呢?但有誰能夠和它們溝通和理會它們呢?人生就像一場夢,幾十年瞬間就過去了,人的能力是有限的,正如螞蟻不可能做人類要做的事一樣,當我們回到神的世界後,相信我們的能力就會有所提升,那時我們認識的那個世界又會不同了。

　　早前,我做了這樣的一個夢,當我回到神的世界時,卻因為以前做過一些有違良心的事被扣減分數,就像高考因分數不達被拒於門外那樣,很是後悔和很慘呢!所以,做人只要問心無愧,將來回到神的世界就不致於被拒於門外,因此做人應該要努力進取,不求回報,從艱苦的生活中磨煉從而提升靈魂思維級別,否則將來被拒於門外就後悔莫及了。

　　過去,我是個無神論者,現在我卻相信「神」的存在,而且是無處不在。因為我們腦海裡的思維體本來就是「神」了,只是處於極初級階段的「神」而異。精神、精神,人的精神本身就是「神」,只是人的眼睛是由分子

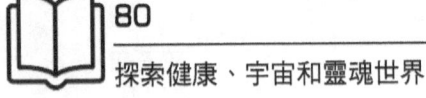

探索健康、宇宙和靈魂世界

化合物組成的，由於頻率的局限性無法認識更高層次的靈魂思維世界。也許在靈魂思維世界裡，它們很清楚看到我們的思維，甚至我們被它們操控，但它們未必能看到我們的化合物軀體呢？所以，頻率的改變對世界的認識也會改變，超聲波可看到肚皮內的嬰兒，電子顯微鏡看到的又是一個不同的世界，從許多夜視視頻中看到許多許多的發光體在天空中不停閃動，這些不停閃動的光體又是什麼呢？也許，UFO滿天都是，只是由於它們的頻率與我們的視頻不同無法看到和認識它們。

也許有會問，人死了是不是什麼也沒有呢？我認為未必，因為任何事物也有因果，生命終結就必然有個結果，至於結的什麼果，就要看每個人的造化，每個人在這個世界上存在的角色都會不同，這也是更高層次神的世界設定的。人生短短幾十年，生命的目的和意義不是在於享受生活，享受人生，而是在於通過艱苦的生活磨煉，在困難和艱苦的生活中激發潛能、磨煉意志以提升自身思維的層次和境界，生命死了也就是等如電腦壞了，但電腦中的軟體也就是你的思維卻可以從新輸入的，只是控制你的軟體也就是你的靈魂思維的是更高層次的靈魂思維世界，通過甄別，你的靈魂思維層次和境界以及能力等如果有所提升，就有可能進入更高層次的靈魂思維世界，靈魂思維層次越高，能力就越強。

第三篇
探索看不見的靈魂世界

　　正如電腦的軟體一樣，過去用 window98，現在的電腦已升級很多了，現在人類的靈魂思維比一萬年前人類的靈魂思維也提升了很多，說明生命雖死，但人的靈魂思維體卻可以繼承和發展的。現在人類的腦比古猿人的腦也發達了很多，但腦部發達也要有好的靈魂思維軟體配合才能聰明，當然身體健康，生物電充足，腦電波就越旺盛，思維能力就越強，正如你的電腦質量是好的一樣。動物的靈魂思維向人類的靈魂思維進化，人類的靈魂思維向更高層次的靈魂世界進化，永無止境。因此有必要指出，很多人努力賺錢，目的希望下一代不再受苦，享受生活，享受人生。然而，做個不勞而獲的寄生蟲，追求這樣的價值觀，我認為是錯誤的，因為不勞而獲的寄生蟲生活，不僅無法提升他們下一代的靈魂思維層次，而且甚至有可能降低他們下一代的靈魂思維層次，淪為動物的靈魂思維，結果害了他們，所以別讓錯誤的價值觀，讓我們追求了錯誤的東西，俗話說 "吃得苦中苦，方為人上人" 只有這樣，你的靈魂層次才會得以提升。

　　現在，我們人類看到的世界只是一個由分子化合物組成的世界，這個世界相信是最低層次的世界了，事實上，世界上看不到的但又確實存在的東西實在太多了，因此，你不能像你肚皮內的細菌那樣，自以為是地認為看不到人類看到的世界，就說人類認識的世界不存在。無線電波我們看不到，但無線電波確實存在；聲音我們

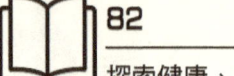
探索健康、宇宙和靈魂世界

能聽到,但看不到;電子和資訊世界雖然能用一點,但也是看不到的。那麼,更小粒子或未知能量組成的又是什麼樣的世界呢?天外有天,神外有神。世界只有相對的,並沒有絕對的世界。我還相信世界存在的形式是多種多樣的,只是它們存在的方式與我們不同,然而,由於人類的認知有限,我們無法與更高層次的世界認識。我也相信,對於我們人類低層次的靈魂來說,更高層次的神只會保護我們,而不會對我們不利。也許有一天,人類終於破解靈魂世界的密碼,打開靈魂世界的大門,進入更高層次的靈魂世界!

世界本來一體,沒有國界

世界本來一體,沒有國界,在古代,人類為了保護利益或爭取利益,國界出現了。幾千年來,為了"國界"哪兩個字,人類耗費大量的財力、物力,自相殘殺,發生過無數大大小小的戰爭。現在,全球經濟已經一體化了,歐洲已有歐盟,將來也許會有美洲盟、大洋洲盟、亞洲盟等,最終全球一體,無分國界。

世界上,如界沒有國界,人類就不會因戰爭而自相殘殺,甚至爆發核戰,自我毀滅。世界上,如界沒有國界,人類的精力和資源將會放在發展經濟提高人民生活水準上。隨著社會和人類文明的進步,世界各國和人民

第三篇
探索看不見的靈魂世界

的距離越來越近，風水輪流轉，世界本來一體，沒有國界，全球走向一體，無分國界，多美好啊！

思想越簡單，人生越幸福快樂！

　　全球最幸福的國家是哪個呢？不是最有錢的，也不是最發達的國家，根據英國一個非政府組織「新經濟基金」多年前公佈最新的《幸福星球報告》，認為拉丁美洲是世界上最幸福的地區，其中哥斯達黎加名列榜首。雖然這個說法未必一定正確，但也說明一個問題，一個人幸福快樂與否不是取決於金錢、權力和名譽。哥斯達黎加是中美洲的，面積相當於台灣，但人口只有二百多萬，人口密度不高，哪裡沒有大型工廠，沒有混凝土森林的高樓大廈，空氣質素相當不錯，也許是因為哥斯達黎加人民哪種易於滿足、與世無爭的性格，哥斯達黎加成為世界上唯一沒有軍隊的國家。我有親人在哪裡做生意，哪裡的人不是有錢，但他們思想簡單、易於滿足的性格相信是哥斯達黎加人民幸福快樂的源澡。

　　記得我還在內地山區農村生活時，哪時我們的思想也是十分簡單，雖然物質沒有現在的豐富，但假期到了，我們就是個放牛的小朋友了，我騎在牛背上，用棍條拍打幾下牛的屁股，牛就飛快的往目的地跑，大家一擁而上，很快目的地就到達了。在哪裡，我們焗番薯，摸蝦、捉魚、摔跤…，哪有什麼煩惱啊！假期到了，和往常一樣我會到郊野公園遠足登山，看看我非常喜歡的山澗小魚，它們時而聚集；時而跳上水面打個筋斗；時而四散覓食；時而疾速似飛，太羨慕它們了…！

從它們哪裡我也悟出這麼一個道理：一個人幸福快樂與否不是取決於金錢、權力和名譽。不攀比，不杞人憂天，不執著，對自己要求不要太高，知足，總之思想越簡單，人生越幸福快樂！

小麥粉、麵粉或糯米粉和非粘性蘍類食物混合配搭，可促使食物更爽口，而且更豐富營養以下是經我多次製作的素食食物和渾食食物方法，喜歡素食的朋友可以參考製作方法一。

方法一，將非粘性蘍類食物如番薯、芋頭或馬鈴薯等去皮煮熟，攪拌成薯蓉，再加入大約三之一的粘性食物如小麥粉、麵粉或糯米粉，另外加入自己喜歡的生花生仁或果仁，如喜歡甜食的朋友可加適量的蔗糖粉，再攪拌成麵團狀，倒入塗上油的蒸盆中，蒸熟即可。

方法二，不喜歡甜食的朋友，可不用加入生花生仁或果仁，在用上述方法一攪拌將非粘性蘍類食物如番薯、芋頭或馬鈴薯等去皮煮熟，攪拌成薯蓉，再加入大約三之一的小麥粉、麵粉或糯米粉成麵團狀後，先在塗上油的蒸盆中倒入約一半的麵團壓成餅狀，再放入自己喜歡碎牛肉或豬肉、芫西、鹽等材料，再加入另一半麵團填滿，壓成餅狀，蒸熟即可。粘性食物和非粘性食物混合配搭，可促使食物更爽口，而且更豐富營養。

方法三，在用上述方法將番薯、芋頭或馬鈴薯攪拌成薯蓉，加入小麥粉、麵粉或糯米粉攪拌成麵團狀後，將麵團壓溥，可用作包餃子或其它喜歡的食品，再加入自己喜歡餡料如碎牛肉或豬肉、芫西、鹽等，蒸熟即可。煎、油炸會美味些，但不健康，因此不建義。

此外上述方法還可以用於製作包點、糕點等，也可在工廠大量生產。

探索健康、宇宙和靈魂世界

致讀者

敬愛的讀者，你們好！很感謝你們的捧場。我不是喜歡寫作的人，說實在的，這個作品我沒看過多少次，因為怕看了又要修改，甚至大幅改寫。人的知識和能力是有限的，相信作品有很多錯誤，希望大家多多包涵。我的作品相信已到此為止，在這裡，我想感謝妻子吳冬青對我的理解和支持，讓我達成了心願。順祝讀者們身體健康，家庭幸福！

探索健康、宇宙和靈魂世界

探索健康、宇宙和靈魂世界（中文版第二版）

作　　者／張捷帆（Chit-Fan Cheung）
出版者／美商 EHGBooks 微出版公司
發行者／美商漢世紀數位文化公司
臺灣學人出版網：http://www.TaiwanFellowship.org
地　　址／106 臺北市大安區敦化南路 2 段 1 號 4 樓
電　　話／02-2701-6088 轉 616-617
印　　刷／漢世紀古騰堡®數位出版 POD 雲端科技
出版日期／2018 年 10 月
總經銷／Amazon.com
臺灣銷售網／三民網路書店：http://www.sanmin.com.tw
　　　　　三民書局復北店
　　　　　地址／104 臺北市復興北路 386 號
　　　　　電話／02-2500-6600
　　　　　三民書局重南店
　　　　　地址／100 臺北市重慶南路一段 61 號
　　　　　電話／02-2361-7511
全省金石網路書店：http://www.kingstone.com.tw
定　　價／新臺幣 250 元（美金 8 元／人民幣 50 元）

2018 年版權美國登記，未經授權不許翻印全文或部分及翻譯為其他語言或文字。
2018 © United States, Permission required for reproduction, or translation in whole or part.

www.ingramcontent.com/pod-product-compliance
Lightning Source LLC
La Vergne TN
LVHW091934070526
838200LV00068B/1017